수업의 과정[개정판]

발 행 | 2023년 12월 05일

저 자 | 박진환

펴낸이 | 한건희

펴낸곳 | 주식회사 부크크

출판사등록 | 2014.07.15.(제2014-16호)

주 소 | 서울특별시 금천구 가산디지털1로 119 SK트윈타워 A동 305호

전 화 | 1670-8316

이메일 | info@bookk.co.kr

ISBN | 979-11-410-5700-8

www.bookk.co.kr

프롤로그
저는 좋은 수업을 하고 있습니다.

 좋은 수업은 모든 선생님들이 꿈꾸는 것이고, 선생님들의 좋은 수업에 관한 생각은 모두 제각각 입니다. 우리는 보통 12년의 초중등 교육을 받고, 4년의 대학을 다니며, 누군가는 추가적인 수업을 받으며 아주 오랜 시간 수업을 경험했습니다. 더욱이 선생님들은 여전히 수업하는 일을 직업으로 삼으며 일평생을 수업과 함께 살아오고 있습니다.

 따라서 우리는 모두 수업에 대해서 만큼은 할 말이 많고, 각자 목표로 하는 좋은 수업의 모습이 어느 정도 그려져 있습니다. 그러다 보니 다른 선생님의 수업을 보면 언제나 아쉬운 점이 발견됩니다. 100명의 선생님이 제 수업을 보신다면 아마 100명의 선생님 모두 제 수업에서 만족스럽지 못한 요소를 하나 이상씩 찾을 수 있을 것입니다. 네, 전 100개가 넘는 부족한 수업을 하는 교사입니다. 그럼에도 저는 좋은 수업을 하고 있습니다.

저는 좋은 수업이 결과가 아닌 과정에 있다고 생각하기 때문입니다. 비록 제 수업은 언제나 완벽하진 않지만, 성장의 과정에 놓여 있습니다. 나를, 그리고 내가 하는 수업을 성장시키는 수업, 그로 인해 더 나은 수업을 할 수 있게 내가 변화하는 수업을 진행 중이며, 그러한 수업이 좋은 수업이라 믿습니다.

이러한 관점에서 좋은 수업은 다음과 같이 정의될 수 있습니다.

다음 4가지 요소를 가진 선생님의 수업을 좋은 수업이라고 생각합니다.

1. 수업에 대한 고민을 가지고 있어야 합니다.
2. 고민을 해결하기 위해 노력해야 합니다.
3. 노력의 결과를 수업에서 실천해야 합니다.
4. 수업의 성과를 성찰해야 합니다.

저는 완벽한 수업이 존재한다고 믿지 않지만, 설령 완벽한 수업이 존재한다고 하더라도 그 수업을 좋은 수업이라고 생각하지 않습니다. 그 수업은 정체되어 있기 때문입니다. 끊임없는 시도와 그로 인한 성장이 교사로서의 삶에 힘을 불어넣을 수 있습니다.

하지만 이러한 성장이 쉬운 일은 아닙니다. 수업 이외에도 할 일이 많고, 제대로 된 수업을 시작하기도 힘든 환경인 학교도 존재합니다. 수업에 여러 가지 변화를 시도해도 학생들은 반응하지 않아 좌절하기도 합니다. 이러한 실패가 반복되면 때론 반쯤 포기하고 교실에 들어가기도 합니다. 학기에 한두 번씩 수업의 성장을 위해 수업을 공개하고, 수업 협의회를 진행하지만 돌아오는 것은 상처뿐입니다.

무엇이 잘못된 걸까요? 우리는 어떻게 수업을 통해 성장할 수 있을까요? 어떻게 하면 동료 선생님들과 함께 성장하며 수업을 나누는 것이 가능할까요?

이러한 고민에 대해 함께 이야기 나누어 보겠습니다.

차 례

Part 1. 수업의 준비

Part 2. 수업의 감상

Part 3. 수업의 나눔

Part 4. 운영 방법

Part 1

수업의
준비

"좋은 교육이란 재미있는 것이다.
그것은 학생이 지식을 얻는 것에 대한
의욕을 불러일으키는 것이다."

- 리처드 파인만

수업을 잘하는 교사?

어떤 교사가 수업을 잘한다고 생각하시나요? 교과 전문성을 갖춘 교사, 수업의 완급을 자유자재로 조절하는 교사, 최신 트렌드 및 IT 기기를 효과적으로 활용하는 교사, 학생들과 좋은 관계를 유지하는 교사 등 각자 수업을 잘하는 교사의 이미지를 쉽게 떠올릴 수 있을 겁니다.

그리고 우리는 자신이 생각한 교사가 되기 위해 노력합니다. 제가 신규발령 받았을 때는 소프트웨어를 잘 활용하는 교사가 되고 싶었습니다. 수업에 활용 가능한 다양한 공학도구들을 배우고 수업에서 멋지게 뽐내는 것이 중요했습니다. 하지만 아무리 여러 도구를 사용해도 수업에 참여하지 않는 학생들이 계속 생겨났습니다. 나의 노력이 보상받지 못한다고 생각하니 힘이 빠졌습니다. 그래도 좌절하지 않고 해결책을 찾고자 모둠활동을 시작하게 됩니다. 강의식으로 혼자 수업하다 모둠활동을 하니, 교실이 매우 혼란스럽게 느껴집니다. 각자 역할을 부여해보기도 하고, 직소우 방식을 적용하기도 하면서 어떻게든 학생들이 수업에 참여하게 만들려고 노력했습니다. 하지만 내가 학생들에게 협력해서 과제를 수행하라고 이야기해도, 실제 협력이 이뤄지지 않았습니다. 무임승차가 발생하고, 진짜 도움을 주기보다 단순히 답을 알려주는 현상들이 발생하며, 또다시 소외되는 학생들이 발생했습니다. 모둠활동은 구조만 존재하고 있을 뿐, 실제 존재 이유가 사라졌습니다. 오히려 학생들의 잡담은 늘고, 수업을 운영하는 것은 더욱어려워 졌으며, 수업에 흥미를 잃는 학생들의 숫자는 늘어갔습니다. 그래서 수업을 재미있게 만들어야겠다고 다짐합니다. 교과 내용을 가지고 게임을 만들고, 재미있어 보이는 동기유발 영상이나, 활동이 가능한 다양한 수업사례들을 수집하기 시작했습니다. 하지만 수업의 핵심과 동떨어진, 분절적인 재미를 부여하는 활동은 그 순간만 학생들을 참여하게 할 뿐이었습니다.

그리고 문득 '나'를 바라보게 되었습니다.

나는 어떤 교사가 되고 싶었을까?
나는 진정 어떤 수업을 하고 싶었던 걸까?

저는 학생들이 단순히 수업에 참여하고 있다는 느낌을 원했던 것이 아닙니다. 잘 배우기를 원했고, 수업을 통해 학생들이 성장하기를 바랐습니다. 그랬기에 내가 잘 할 수 있는 공학 도구로 학생들에게 배움을 선사하려고 노력했던 것입니다. 하지만 그 시도는 실패했고, 거듭된 실패는 나의 목표를 작게 만들었습니다. 학생의 배움이나 성장과 별개로 수업에 참여하게 하는 것이 나의 목표로 바뀌어 버린 것입니다. 하지만 이마저도 성공하지 못했습니다. 이때, 잠시 멈춰 나를 돌아보지 못했다면, 아마 형식적으로 수업에 들어갔다, 무사히 하루를 마치고 집으로 퇴근할 수 있음을 목표로 삼으며 무기력한 학교생활을 하고 있을지도 모릅니다.

실패는 누구나 겪습니다. 그러나 중요한 것은 실패가 우리의 꿈을 꺾는 것을 허용하지 않아야 한다는 것입니다. 꿈을 이루는 것은 분명 어려운 일이지만 꿈을 꾸지 않으면 아예 불가능한 일입니다. 내가 영위하고 싶은 교사의 삶, 원하는 수업의 모습, 진정한 학생들의 배움의 과정을 항상 마음속에 간직하고 있어야 합니다. 그것이 수업을 잘하는 교사가 되기 위한 출발이고, 자신의 이상을 현실로 만들어 내는 역량을 갖출 수 있다면, 그 교사는 진정 수업을 잘하는 교사입니다.

수업 속 고민을 가지고 있나요?

이제 선생님의 진짜 목표를 떠올려 봅시다. 잠시 책 읽기를 멈추고 떠올려 보시기 바랍니다.

선생님은 어떤 수업을 하고 싶은가요?

생각을 마친 후 책장을 넘겨주시기를 바랍니다.

생각이 잘 떠올랐나요? 목표를 묻는 것과 같은 추상적인 질문에는 답변도 추상적으로 나올 가능성이 큽니다. 목표는 분명 추상적으로 진술될 테지만 동일한 추상성을 가지는 문장이어도 각자 얼마나 많은 고민과 성찰의 시간을 가졌는지에 따라서 전혀 다른 문장이 될 수 있습니다.

사실 '나의 목표는 무엇이다'라고 선언하는 것보다 중요한 것은 나를 탐색하고 성찰하는 시간을 충분히 갖는 것입니다. 그러한 과정에서 자신의 교육적 지향점은 조금씩 선명해집니다. 그리고 그렇게 형성된 교사의 목표는 앞으로 교사에게 나침반이 되어 줄 것입니다. 만약 나침반이 없다면 저의 신규때의 모습처럼 새로운 방법만 이곳저곳 찾아 나서며 실패를 거듭하며 소진되어 버릴 수 있습니다. 정확한 나침반이 있다면 느리지만 한 걸음씩 옳은 방향으로 나아갈 수 있으며, 새로운 수업 방법이나 도구들이 내 방향을 흔들지 않고 오히려 내 방향으로 속도를 더해주는 바퀴가 되어줄 수 있습니다.

따라서 목표는 천천히 다각도로 살펴보는 것이 좋습니다. 이때, 먼저 생각해 보기에 좋은 질문은 '나의 수업 중 고민'입니다. 보통 고민은 수업에서 불만족스러운 부분에서 발생하고, 불만족은 충족되지 않은 욕구의 표현 방식이기 때문에, 고민 속 교사의 욕구를 잘 살피면 목표에 대해 의미있는 탐색이 이루어질 수 있습니다.

한 번 더 책 읽기를 멈추고 '나의 수업 속 고민은 무엇인가?' 생각해 보시길 바랍니다.

고민이 떠오르면 보통 그 생각이 고민에 머물러 있지 않습니다. 즉각적으로 해결책에 대해 떠올리게 됩니다. 하지만 이래서는 제 신규 때의 모습처럼 이것저것 시도하고, 실패하고, 지치게 됩니다. 고민에서 해결책으로 자연스럽게 넘어가는 사고의 흐름을 끊어줄 필요가 있습니다. 사실 고민은 빙산의 일각과 같습니다. 수면 아래의 보이지 않는 90%의 빙산이 어떤 모습인지 잠수해서 자세히 살펴보아야 합니다.

고민을 진정으로 이해하는 것은 단순히 수업 속 문제 상황을 확인하는 것이 아닙니다. 그 상황을 문제로 인식한 '나'를 알아가는 과정입니다. '나'는 무엇이 중요하다고 생각하기에, 그 상황을 문제로 인식했는지, 그 상황이 나의 어떤 욕구의 충족을 가로막았는지 확인해야 합니다. 그러려면 자신의 고민에 오래도록 머무르며, 빙산의 구석구석을 살펴야 합니다. 때로는 빙산을 깨트려 더 깊숙이 들어가야 할 수도 있습니다. 그러기 위해서는 내 생각에 대해 계속 반복적으로 생각하는 메타인지적 사고가 필요합니다. 스스로 고민을 모두 분석할 수 있게 되기까지 고민에 머무르고 스스로 질문할 수 있다면 좋겠지만, 처음에는 쉬운 일이 아닙니다. 따라서 우선 다른 선생님들과 수업과 수업 속 고민에 관해 이야기하는 것부터 시작해 보는 것이 좋습니다. 혼자 생각하는 것은 자신의 지식과 경험의 한계 안에서만 이루어지기 때문에, 때때로 우리는 자신의 생각에 갇혀 새로운 관점이나 해결책을 놓칠 수 있습니다. 반면, 다른 사람과의 대화는 다양한 관점과 아이디어를 제공하며, 우리가 간과하거나 고려하지 못한 측면들을 밝혀줄 수 있습니다. 또한, 대화는 생각을 명확하게 정리하고 표현하는 연습이 되며, 타인의 피드백을 통해 우리의 생각을 더 깊이 있고 폭넓게 발전시킬 수 있는 기회를 제공합니다.

하지만 주의할 점은 분명 있습니다. 단순히 우리는 일상적인 대화를 나누려는 것이 아닙니다. 깊이 있게 성찰하기 위한 대화를 하는 것이 목적입니다. 대부분 처음 고민에 대해 이야기 나누면, 그 고민에 머무르며 이야기 나누는 일은 쉽진 않을 것입니다.. 일반적으로 다음과 같은 흐름으로 진행될 가능성이 큽니다.

A : 수업에서 몇몇 학생들이 아무것도 안 하는 게 고민이예요.

B : 모둠활동으로 구성하면 어때요? 아니면 상벌점 같은 거 도입해보거나요. 저는 상벌점 이용해서 수행평가 반영하니까 애들이 좀 참여하더라고요.

A : 네, 그런 방법도 생각해 볼 수 있겠네요.

이처럼 우리에겐 아직 상대방의 고민에 머물러주기보다 본인의 경험에 비추어 해결책을 제시하는 것이 익숙합니다. 하지만 이러한 방법은 대체로 별 도움이 되지 못합니다. 간혹 정말로 방법을 알지 못하는 저 경력 교사에게 도움이 되는 경우도 있으나, 대부분 조언하는 방법이 특별한 방법이 아닐뿐더러, 자신의 상황을 해결할 근본적 대책이 되지 못 하는 경우가 많습니다. A교사는 속으로 '이미 모둠활동은 해봤는데도 안 되던걸, 협력학습 모델, 직소우, 토론 수업 이런저런 방법 다 해봤다고. 학교에서는 마일리지 제도도 운영하는데…'라고 생각하지만, 겉으로 '네, 그런 방법도 생각해 볼 수 있겠네요.'라고 대답하고 있을 수도 있습니다.

심지어 타인이 해결 방법을 제시하는 행위는 받아들이기에 따라 자신의 무능함과 연결 짓는 경우도 있습니다. '내가 효과적인 방법을 찾지 못했기 때문에 문제가 발생했다는 거구나.'라고 생각하는 것이죠.

따라서 고민을 털어놓은 선생님의 입장을 사려 깊게 살피는 것이 필요합니다. 고민을 갖고 있다는 것은 욕구가 충족되지 못한 다소 불안한 상태입니다. 이런 상태는 보통 대화를 나누기에 적합하지 않습니다. 대화를 시작하게 만들려면 대화의 공간이 안전하고 편안하다고 느껴야 합니다. 이때 필요한 것은 해결책의 제시가 아닌 경청과 공감입니다. 그렇게 대화가 시작되면 그 대화에 함께 머물며, 자신의 고민에 대해 충분히 생각해 볼 수 있도록 도와주어야 합니다. 이때, 사용할 수 있는 방법은 상대의 말을 공감 및 반영하거나, 생각을 명료화하고 자신의 고민 이면의 목표를 탐색할 수 있도록 질문하거나, 자기 생각에 직면할 수 있도록 반문할 수 있습니다.

예를 들어 다음의 대화를 살펴보도록 하겠습니다.

A : 수업에서 몇몇 학생들이 아무것도 안 하는 게 고민이예요.

B : 맞아요. 수업을 열심히 준비해가도 학생들이 아무 반응도 없으면 정말 기운이 빠지죠. 선생님은 그럴 때 어떠세요?

A : 저도 그래요. 어떻게 해야 할지 막막해요.

B : 선생님은 학생들이 아무것도 안 한다는 걸 어떻게 확인하세요?

A : 네? 음… 그러니까… 제가 학습지를 나눠주고 1번 과제를 해결하라고 했는데 몇몇 학생들은 학습지를 쳐다보지도 않고, 몇 분이 지나도 전혀 진행된 것이 없더라고요.

친밀한 관계가 아니라면 자신의 고민을 나누는 대화는 불편할 수 있습니다. 상대의 이야기를 경청하고 반영하거나, 공감해주면 보다 쉽게 자신의 이야기를 꺼낼 수 있게 됩니다. 특히 감정을 표현하거나 내면의 이야기를 꺼내기 시작한다면 대화할 준비가 되어가는 중이라 볼 수 있습니다. A교사는 아무것도 안 하는 학생들을 보며, 막막해하고 있습니다. '몇몇 학생들이 아무것도 안 해요.'라는 표현이 언뜻 보기에는 명확한 표현 같아 보이지만, 사실 그렇지 않습니다. '아무것도 안 한다.'는 행위는 관찰 가능하지 않습니다. 교사의 부정적 평가가 포함된 발언으로 볼 수 있으며, 이런 표현들을 다시 물어봐 주면 보다 상황을 객관적으로 바라볼 수 있게 되고, 무엇을 기대하는지 엿볼 수 있습니다. 마지막 A교사의 발언으로 미루어보아 교사는 자신이 과제를 부여했을 때 학생들이 바로 시작할 수 있게 되기를 바라는 것 같습니다.

A : 네? 음… 그러니까… 제가 학습지를 나눠주고 1번 과제를 해결하라고 했는데 몇몇 학생들은 학습지를 쳐다보지도 않고, 몇 분이 지나도 전혀 진행된 것이 없더라고요.

B : 선생님은 학생들이 과제에 바로 착수할 수 있게 되기를 바라시는 거군요?

A : 맞아요. 근데 그게 잘 안 되는 거 같아요. 시작부터 안 되니 수업을 따라오지를 못 하는 듯해요.

B : 그렇군요. 열심히 준비하셨을 텐데, 시작도 안 하는 학생들을 보면 속상하시겠어요. 선생님 생각하시기에 학생들은 왜 시작을 못 하는 걸까요?

A : 흠 …. 그러게요. 제가 학생 입장에서 잠시 생각해봤는데, 어떤 학생들
은 학습지를 읽어도 무슨 말인지 모르거나, 어떻게 해야 할지 전혀 모
를 수도 있을 거 같아요.

교사의 고민에서 교사가 원하는 것이 '학생들이 과제에 바로 착수
하게 되는 것'으로 보다 구체화 되었습니다. 보통 수업에서의 고민은
그 주체가 학생이 되는 경우가 많습니다. 하지만 학생 입장에서 생각
해 본 경험은 부족합니다. 따라서 단순히 자신의 고민을 학생들의 문
제로 보지 말고, 학생의 입장에서 생각해 볼 수 있는 기회를 제공하는
것은 고민의 진짜 목표를 찾아가는 데 도움이 됩니다. A교사는 자신
의 과제가 어떤 학생들에게는 시작하기에 버거울 수 있겠다고 이야기
합니다. 그 이유에 관해 물으며 대화를 이어가 보도록 하겠습니다.

A : 흠 …. 그러게요. 제가 학생 입장에서 잠시 생각해봤는데, 어떤 학생들
은 학습지를 읽어도 무슨 말인지 모르거나, 어떻게 해야 할지 전혀 모
를 수도 있을 거 같아요.

B : 왜 그렇게 생각하셨어요?

A : 제가 제시한 과제가 앞에서 배운 내용들을 잘 알고 있어야 가능한 거
같은데, 앞선 수업에서도 학습이 잘 일어나지 않은 학생들은 여전히
아무것도 못 할 거 같아요.

B : 선생님은 학생들이 선행 지식이 좀 부족하더라도 수업에 참여할 수 있
게 되기를 바라시는 건가요?

A : 네, 그렇게 수업을 구성하면 좋겠어요.

A선생님은 수업에 참여하지 못 하는 학생들에 대한 고민을 가지
고 있었습니다. 대화를 통해 모든 학생들이 과제를 시작할 수 있도록
수업을 재구성할 필요가 있다는 것을 알아차리게 됩니다. 물론 아직
그 구체적인 방법은 알지 못합니다. 하지만 A선생님은 앞으로 수업
을 준비할 때, 자신이 생각하는 수업의 흐름이 선행 지식이 부족한 학
생들도 시작할 수 있는지 고민하게 될 것입니다.

수업 속 고민을 나눌 때, 단순히 고민을 해결하기 위한 방법들을
제시하거나 나열하는 경우 그 해결 방법이 고민과 닿아 있지 않고 다
소 피상적으로 느껴질 수 있습니다. 하지만 고민에서 목표를 드러낸
후 방법을 찾는다면 좀 더 구체적이고 해결 가능성이 큰 방법들을 상
상할 수 있게 됩니다. 단순히 고민을 듣고 해결책을 제시하는 것은 일
반적인 방법론을 이야기하게 됩니다. 하지만 위와 같은 목표를 세웠
다면 오늘 수업에서 다룰 소재를 어떻게 하면 모든 학생들이 접근할
수 있도록 재구성할 것인지 고민하게 됩니다. 이러한 사고 경험이 교
사의 교육과정 해석 및 재구성의 역량을 신장시킬 것이고, 교사가 직
면하는 여러 고민을 해결하는 힘을 길러줄 것입니다.

수업의 주체는 학생입니다.

우리는 어떻게 가르칠까에 대한 고민을 많이 합니다. 반면 어떻게 하면 학생들이 배울 수 있는가에 대해서는 고민하지 않습니다. '잘 가르치면 잘 배우는 거 아니야?'라고 생각하실 수 있습니다. 혹은 '학생들을 잘 배우게 하기 위해서 잘 가르치는 방법에 대해 고민하는 거 아니야?'라고 생각하실 수도 있습니다. 하지만 수업을 준비할 때, 학생들이 어떻게 배울 수 있는지 고민하는 것은 지금까지의 수업 준비와는 사뭇 다른 방식입니다.

2022 개정 교육과정의 중학교 수학의 첫 번째 성취기준은 다음과 같습니다.

[9수01-01] 소인수분해의 뜻을 알고, 자연수를 소인수분해 할 수 있다.

대부분의 성취기준이 이와 유사한 형태로 쓰여 있습니다. 우리는 학생들에게 소인수분해의 뜻을 알게 하기 위해 여러 가지 방법들을 고민하게 될 것입니다. 프린젠테이션을 만들거나, 이해가 쉽게 되도록 설명을 구성하거나, 적절한 활동을 만들기도 합니다. 잘 가르치기 위한 여러 가지 방법을 떠올리는 것은 선생님들에게 아주 익숙한 방법일 것입니다.

그렇다면 어떻게 학생들은 소인수분해의 뜻을 알게 될까요? 혹시 '소인수분해의 뜻을 안다.'는 것이 어떤 의미일지 생각해 본 적이 있나요? 선생님이 수업하고 있는 성취기준들이 어떤 의미를 가지고 있는지, 성취기준에서 이야기하는 '이해한다, 할 수 있다.' 등이 실제로 무엇을 뜻하는지, 학생들은 어떻게 그러한 경지에 도달할 수 있는 것인지 고민해 보아야 합니다. 교과서에는 다음과 같이 소인수분해를 정의합니다.

'소수인 인수를 소인수라고 하고, 1보다 큰 자연수를 그 수의 소인수들만의 곱으로 나타내는 것을 소인수분해라고 한다.'

이것을 암기하고 있는 것이 소인수분해의 뜻을 아는 걸까요? 대부분 선생님들은 지식을 단순히 암기하는 것을 이해했다고 생각하지 않을 겁니다. 무엇인가 이해하는 일은 일반적으로 단숨에 일어나는 법이 없습니다. 적절한 경험의 누적으로 어느 순간 이해의 경지에 다다르게 됩니다. 이 적절한 경험들을 수업에서 학생들이 행할 수 있게 하는 것이 수업 준비입니다.

만약 아주 단순한 개념이고, 그저 한 번 읽어보기만 하면 되는 내용이라면, 교사는 학생들에게 어떻게 읽게 할 것인지를 고민해야 합니다. 하지만 대부분 이처럼 단순하지 않습니다. 소인수분해를 이해하는 것은 단순히 교과서의 저 정의를 여러 번 읽는 것으로 성취되지 않습니다. 그럼 학생들은 무엇을 해야 할까요? 학생이 무엇을 경험해야 학생들이 소인수분해를 이해하게 될 가능성이 커질까요?

이를 위해서는 교사는 여러 고민을 해보아야 합니다. '소인수분해는 무엇인가?', '소인수분해는 왜 학생들이 배워야 하는가?', '소인수분해를 이해한다는 것은 무엇을 의미하는가?', '소인수분해를 이해한 학생은 어떤 상태인가?', '이해에 도달하려면 학생들은 무엇을 경험해야 하는가?' 소인수분해는 하나의 예시에 불과합니다. 각자 수업할 내용에 적용하여 위의 질문들에 대해 생각해 보는 시간을 가지길 바랍니다.

같은 내용에 대해 고민하더라도 선생님마다 서로 다른 답변을 내놓을 수 있습니다. 소인수분해 수업에 대한 저의 개인적인 의견은 학생들에게 수학적 도구를 개발하고 사용하는 것이 의미 있다는 것을 알게 하기 위해 소인수분해를 배운다고 생각합니다. 예를 들어 61,236의 모든 약수를 구해야 하는 상황을 가정해보겠습니다. 가장 단순한 방법으로는 1부터 차례대로 61,236을 나누어 보며 나누어지는지 확인하면 됩니다. 아주 번거롭습니다. 문제를 해결하기 위해서는 무언가 도구가 필요함을 느낍니다. 여기에 적절한 활동을 구성하여 '소수'라는 개념을 스스로 구성하고, 소수로 수를 분해하여 표현하는 것이 강력한 도구로 사용될 수 있음을 경험하는 것이 필요하다고 생각합니다.

이러한 경험은 학생들이 소인수분해를 이해하게 만드는 가능성을 높이는 일이라고 생각합니다. 여기서 가능성이라고 표현하는 이유는 학습의 주체는 학생이기 때문입니다. 학생의 배움은 주입으로 가능하지 않습니다. 경험을 통해 스스로 구성해 나갑니다. 단, 경험이 학생들의 활동만을 의미하는 것은 아닙니다. 선생님의 목소리를 듣는 것도, 텍스트를 읽는 것도, 연습문제를 푸는 것도 모두 경험에 포함됩니다. 우리는 이러한 경험을 적절히 구성하고 배치해야 합니다. 학생들의 배움의 가능성을 높이는 경험은 무엇인지 탐구해야 하고, 어떤 순서로 경험하는 게 효율적일지 끊임없이 사고 실험해야 합니다. 이를 통해 최대한 많은 학생들이 제대로 배울 수 있도록 도와야 합니다.

이처럼 기존의 교사가 잘 가르치는 것이 학생을 잘 배우게 만든다는 관점에서 학생이 잘 배우기 위해 필요한 경험을 교사가 구성해주는 관점으로 전환하여 수업을 준비해 보시길 바랍니다. 이는 단지 학생들을 진정한 배움으로 이끄는 도구만 되는 것이 아닙니다. 이러한 사고 과정에서 자연스럽게 학생들에 대한 이해가 깊어지게 됩니다. 학생들은 왜 어려움을 겪는지, 왜 수업을 재미없다고 하는지, 어떻게 배워야 즐겁게 배울 수 있는지 조금씩 알아가게 될 것입니다.

학생 경험 선정의 기준이 필요합니다.

수업에서 학생들이 경험할 요소를 선정하기 위해서는 성취기준에 대한 교사의 해석이 필요합니다. 하지만 이러한 해석이 다소 엉뚱한 방향으로 수업을 흘러가게 만들지도 모릅니다.

예를 들어

소인수분해를 이해한다 -〉 소인수분해를 계산할 수 있다. -〉 익숙해지면 된다. -〉 쉬운 계산 방법을 알려주고 반복하게 만들자.

와 같이 해석하고 단순 반복 형태의 문제를 많이 제공하게 만들 수도 있습니다. 이러한 방법이 무조건 잘못되었다고 이야기하는 것은 아닙니다. 하지만 스스로 위의 방법이 본인에게 적합한지, 적합하지 않은지 판단할 수 있는 기준은 필요합니다.

따라서 우리는 그러한 기준을 먼저 정해두고 수업을 준비해야 합니다. 잠시 아래의 질문들에 대해 답해 보시길 바랍니다.

- 어떤 수업을 하고 싶나요?

- 선생님의 담당 과목은 어떤 가치가 있나요?

- 학생들은 어떻게 배우나요?

위 질문들에 대한 답이 수업을 설계할 때, 내가 바라는 방법을 선택했는지를 판단할 기준이 될 것입니다. 수학을 담당하는 저는 다음과 같이 생각합니다.

저는 학생들이 배움의 즐거움을 회복하는 수업을 하고 싶습니다. 호기심 가득하던 어린 시절을 지나, 학교생활을 하며 학생들의 호기심은 사라지고 배우는 것이 과업처럼 느껴지는 듯합니다. 학교라는 공간이, 특히 수업은 학생들에게 배우는 것이 즐거운 일이라는 것을 다시 알게 해주어야 한다고 생각합니다. 그래서 언제든지 새로운 것을 배우고 도전할 수 있는 학생들로 성장할 수 있기를 기대합니다. 이러한 목표를 이루기에 수학은 꽤 적합한 과목입니다. 수학은 복잡한 상황을 간결하게, 그리고 어려운 과제를 보다 쉽게 만들어 줍니다. 학생이 자신의 과제를 수학을 통해서 효율적으로 해결할 수 있는 경험을 하게 된다면 학생은 다시금 배움의 즐거움을 회복할 수 있을 것으로 기대합니다. 따라서 수업도 학생이 수학적 개념이 필요해지도록 구성하는 것이 중요하다고 생각합니다. 학생이 해결하기 어려워 답답하고 막막한 순간에 적절한 도구를 수학이 제공하여 주거나, 더 나아가 스스로 그러한 도구를 발견할 수 있게 된다면 학생들은 자연스럽게 수학을 배우고, 행할 것이며, 배움의 행위의 가치를 느끼게 될 것이라고 생각합니다.

따라서 앞에서 제시한 해석처럼 소인수분해를 계산하는 다량의 문제를 반복하게 만드는 것은 저에겐 적합하지 않습니다. 이 방법은 학생들이 소인수분해를 잘 해낼 수 있게 만드는 방법은 될 수 있을지 모르나, 학생들에게 또다시 배움을 멀리하게 만드는 방법이라고 생각하기 때문입니다.

이처럼 학생들에게 제공해야 할 경험을 선택할 때 자신이 이상적으로 생각하는 수업의 모습을 가지고 있어야 합니다. 그리고 그러한 목표의 부합 여부가 수업에서 학생에게 제공할 경험을 선택하는 판단 기준이 되어야 합니다.

그러나 일반적으로 수업을 준비할 때 이러한 목표를 설정하는 일은 드뭅니다. 수업을 준비하는 가장 일반적인 방법은 교과서의 순서를 따르되 학생의 흥미를 유발하거나, 추가적인 활동을 구성하는 방법입니다. 혹은 다른 사람이 만든 학습자료의 흐름을 따라가며 약간의 변형을 취합니다. 이처럼 이미 만들어진 흐름에 내가 아는 좋은 방법들을 추가합니다. 그러나 이러한 결과로 만들어진 수업은 진정 자신이 원하는 수업에 부합하기 어렵습니다. 내 수업에 대한 목표를 고민하지 않고 수업을 준비했기 때문입니다. 실제로 목표가 분명치 않은 상태에서 최신 유행하거나 좋아 보이는 방법을 먼저 선택하고 이를 학생들에게 적용하면 학생들에게 메타인지 이동이 많이 발생할 수 있습니다. 학생들의 눈길을 사로잡는 도구에 학생들은 수업 중 활기차 보이긴 하지만 실제 기대하는 배움이 일어나지 않는 경우들이 많습니다. 우리에겐 '무엇을' 수업에 활용하는지보다 '왜' 이 수업을 해야 하는지가 더욱 중요합니다. 최근 화두인 AI, 메타버스 등을 이용하는 것보다 지금 나의 수업은 '왜' 학생들에게 필요한지에 대한 고민이 먼저 필요합니다. 수업에 사용할 도구를 선정하고 그 도구에 내 수업을 맞추는 일은 내 수업이 가질 수 있는 가능성을 축소하는 일입니다. 내가 원하는 수업의 목표로부터 시작해서 그 목표가 달성될 수 있게 만드는 학생들의 경험을 찾고, 그러한 경험을 가장 효과적으로 수행할 수 있게 도와주는 방법을 최종적으로 선정해야 합니다.

단원의 핵심경험 선정하기

우리는 자신의 수업 목표를 절대 잊지 말아야 합니다. 계속 생각하고, 되묻고, 성찰하면서 목표를 분명히 자각하고 있어야 합니다. 목표는 수업을 준비하고 실행하고 평가하는 모든 과정에서의 기준이 될 것이기 때문입니다. 하지만 너무 조급하게 정할 필요는 없습니다. 그리고 그렇게 빨리 형성될 수도 없습니다. 수업에 대해 다양하게 고민하는 과정을 반복하면서 자연스럽게 자신에게 중요한 것이 무엇인지 알게 될 것입니다.

우선 앞에서 작성한 자신이 원하는 수업을 하기 위해 학생들은 무엇을 경험해야 할지 고민해 보겠습니다. 먼저 하나의 단원을 떠올립니다. 그리고 만약 이웃 단원들도 자연스럽게 연관되어 있다면 여러 단원을 합쳐 하나의 단원으로 떠올려도 좋습니다. 때론, 교육과정이 대단원 안에 독립적인 중단원들이 들어 있는 경우도 있습니다. 이럴 경우, 독립적인 중단원 하나를 떠올려도 좋습니다.

수학교사인 제 입장에서 예를 들어 보겠습니다. 중학교 1학년 첫 번째 대단원인 '수와 연산'은 '소인수분해'와 '정수와 유리수'라는 두 개의 중단원으로 구성되어 있습니다. 하지만 각 중단원은 서로 다른 목표를 가진 단원이라 여겨져, 이 경우는 각각을 하나의 단원으로 설정합니다. 반면, 중학교 2학년 '부등식과 연립방정식', '일차함수'라는 두 개의 대단원은 일차식에 대한 깊이 있는 탐구를 위해 하나의 단원으로 설정합니다. 물론 중학교 3학년의 첫 번째 대단원 '실수와 그 연산'처럼 기존의 단원 범위를 단원으로 설정하는 경우도 많습니다.

교육과정의 전체적인 구조를 살펴보고 적절히 구분하였다면 자신이 설정한 하나의 단원을 선택해 보시기 바랍니다. 저는 중학교 3학년의 실수와 그 연산 단원을 선택해 보겠습니다. 그리고 다시 한번 자신의 수업의 목표를 떠올립니다. 앞서 서술한 제 목표를 간략히 다시 표현한다면 '제 수업을 통해서 배움의 가치를 깨닫고 그 속에서 배움의 즐거움을 느끼게 되길 바랍니다.'입니다. 이제 이렇게 만들기 위해 내가 선택한 단원(실수와 그 연산)에서 학생들이 경험해야 할 것이 무엇인지 정해야 합니다. 이를 핵심경험이라고 표현하겠습니다.

수학교사가 아닌 독자도 있으실 테니 간단하게 실수와 그 연산 단원에 대해 설명하겠습니다. 주된 학습 요소는 제곱근($\sqrt{\ }$, 루트, root)이며, 우리가 제곱근을 사용해야만 하는 데는 이유가 있습니다. 바로 새로운 수가 발견되었기 때문입니다. 분명 존재하지만, 그 값을 측정하려고 하면, 소수점 아래로 끝없이 숫자가 나오는 순환하지 않는 무한소수가 됩니다. 간단히 표현하기 위해 제곱근 기호는 사용되었고, 새롭게 도입된 수에 기존의 사칙연산이 잘 작동하는지 확인하며 사칙연산 방법에 대해 학습하는 단원입니다.

그럼 제 수업목표를 이루기 위해서 학생들은 실수와 그 연산 단원에서 무엇을 경험해야 할까요? 어떻게 하면 학생들이 배우는 것은 자연스러운 일이며 즐거운 일이라는 것을 느낄 수 있을까요? 저는 고대 그리스 수학자들이 처음 무리수를 발견했을 때와 같은 그 놀라움을 경험하는 것이 핵심경험이라고 생각합니다. 이 경험을 통한 감정이 배움에 대한 강한 내적동기를 유발하게 하고, 이러한 학습 동기가 새로운 수(제곱근을 포함한)를 스스로 정의하게 만들길 기대합니다. 그리고 자신이 정의한 수가 기존의 수(유리수 체계)와 어울려 유용하게 사용된다는 것을 느낀다면 학생들이 배움의 가치를 제 수업을 통해 알게 될 것이라고 생각합니다.

이제 선생님의 차례입니다. 선생님의 수업목표를 이루기 위해서 선택한 단원에서 학생들에게 제공할 핵심경험은 무엇인가요?

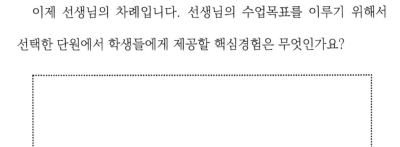

핵심 경험을 선정할 때, 단연 중요한 것은 학생들의 경험과 성장을 중심에 두고 작성해야 한다는 겁니다. 우리는 이러한 관점의 이동이 생각보다 쉽지 않습니다. 배움보다 가르침에 익숙한 문화 때문에 학생들의 입장에서 생각하려는 의식적인 노력이 필요합니다. 이때, 항상 기억해야 할 것은 자신의 수업목표입니다. 수업목표로 부터 시작하여 학생의 핵심경험을 생각해 냈더라도, 때로는 떠올린 핵심경험이 목표에 부합하지 않을 수도 있습니다. 항상 다시 한번 자신이 선정한 핵심경험이 자신의 수업목표를 달성하는데 긍정적인 영향을 미칠 수 있는지 확인해야 합니다.

핵심경험은 보통 구체적이진 않습니다. 실제 수업을 설계하기 위해서는 보다 구체적인 학생 경험이 필요합니다. 각 내용 요소에 맞추어 학생의 경험을 구체화 할 필요가 있습니다. 이때, 기준으로 삼을만한 것이 성취기준입니다. 실수와 그 연산단원의 성취기준을 살펴보면 다음과 같습니다. 선생님도 자신이 선택한 단원의 성취기준을 살펴보시기를 바랍니다.

> [9수01-07] 제곱근의 뜻과 성질을 알고, 제곱근의 대소 관계를 판단할 수 있다.
> [9수01-08] 무리수의 개념을 이해하고, 무리수의 유용성을 인식할 수 있다.

그리고 성취기준을 자신의 목표에 비추어 살펴보세요. 내가 이상적으로 생각하는 수업과 배움의 과정에 있어 '뜻을 안다.', '성질을 안다.', '개념을 이해한다.' 등 이 무엇을 뜻하는지 고민해봐야 합니다. 그리고 가장 중요한 것은 자신이 해석한 의미대로 학생들이 배울 수 있으려면 학생들에게 어떤 경험이 필요할지 밝혀내는 것입니다. 학생들에게 배움의 즐거움을 선사하고 싶은 저는 성취기준을 다음과 같이 해석했습니다.

> 제곱근의 뜻을 알고 무리수의 개념을 이해한다는 것은 새로운 수의 발견을 경험하는 것과 직접 발견한 수를 도입하는 경험을 통해 가능하다고 생각합니다. 예를 들어, 학생들은 제곱해서 2가 되는 수의 존재성을 직접 활동을 통해 확인하고, 이렇게 발견된 수가 지금까지 우리가 알고 있던 유리수 체계에서는 존재하지 않는다는 것을 깨닫고 놀라워해야 합니다. 이러한 과정에서 새로운 수 체계를 정의할 필요성을 느끼고, 제곱근을 이용한 표현의 유용함을 경험해야 합니다. 기존의 교육과정처럼 제곱근의 정의를 먼저 제공하는 것이 아닌 학생들이 발견하는 과정을 통해서 학생들은 제곱근을 스스로 정의하게 된다면, 그 과정 자체에서 이미 무리수의 개념은 이해될 것이며 제곱근과 관련한 다양한 성질도 자연스럽게 알게 될 수밖에 없을 것입니다.

이제 다시 선생님의 차례입니다. 먼저 성취기준을 적어보세요.

```



```

선생님의 목표를 다시 한번 마음에 새기며, 위 성취기준들을 선생님의 시선에서 다시 바라보세요. 그렇게 해석된 성취기준이 달성되기 위해 필요한 학생들의 경험은 무엇일지 아래에 작성해보세요.

```




```

이제 남은 일은 선정한 경험이 실제 학생들에게 일어날 수 있도록 수업을 구성하는 일입니다. 이게 생각보다 어렵습니다. '내가 수업을 어떻게 해야지.'를 우리는 지금껏 고민해왔습니다. 하지만 '내가 수업을 이렇게 할 때, 학생들이 이런 경험을 하게 만들 수 있을까?'로 한

차원을 더 고민하며 수업을 만들어야 합니다. 어려움이 예상됨에도 이를 극복할 수 있는 방법은 하나뿐입니다. 우선 만들어 보는 것!. 수업은 한 번에 완벽하게 만들 수 없습니다. 아무리 많은 사고 실험을 하더라도 실제 수업에서 펼쳐지는 모든 상황을 상상하는 것은 불가능하고, 처음부터 내 예상대로 학생들이 계획된 경험을 할 가능성은 그리 크지 않습니다. 수업을 적용하고 수정하고, 또 수정하는 과정들을 거치면서 조금씩 다듬어 나간다고 생각하시고, 다소 이 과정이 어렵게 느껴지고, 아이디어가 잘 떠오르지 않더라도, 시도를 해보아야 합니다.

수학, 과학, 사회 등 교과목에서 새로운 개념이나 원리에 대한 내용들은, 그 개념이나 원리의 발생과정을 살펴보는 것은 학생들의 경험을 선정하는 데 도움이 될 수 있습니다. 어떤 상황에서 어떤 필요에 의해 학자들은 이러한 개념이나 원리를 사용하고 발견하게 되었는지, 그것은 왜 꼭 있어야만 했는지, 그러한 상황을 학생들의 수준으로 적절히 변형하여 비슷한 상황에 학생들이 놓일 수 있는지 상상해 보면 좋습니다. 이러한 과정에서 학생들이 겪게 될 어려움을 사고 실험하고, 필요한 어려움과 제거해줘야만 하는 어려움을 구분하여, 학생들에게 적절한 장애물을 학습과정에 포함할 수 있습니다.

과목에 따라 기능의 숙달이나 반복적인 경험 자체가 매우 중요한 요소인 경우도 많이 있습니다. 학생들에게 필요한 것이 만약 반복적인 경험이라면, 단순히 반복시키겠다는 계획이 아닌, 학생들에게 어떤 경험을 제공해야 지속적으로 수행하며, 수행할수록 더욱더 내적동기가 강화될 수 있는지 고민해야 합니다. 수행할 행위 자체에 대한 고민뿐만 아니라 그러한 행위를 지속시키고 강화하는 경험이 무엇일지에 대한 고민을 함께하며, 이러한 고민의 결과가 자신의 교육목표에 부합하는지 끊임없이 확인해야 합니다.

학생의 가능성을 믿으세요.

수업 준비를 하며 학생 한 명 한 명을 떠올려 보세요. 아마 내가 지금 준비하고 있는 수업을 성취하지 못 할 것 같은 학생들이 떠오르실 겁니다. 그런 학생들이 많이 떠오른다면, 너무 어려운 걸 가르치는 건가? 학생들에게 굳이 이런 거까지 필요할까? 하면서 수업을 보다 쉽게 만들기 위한 노력을 하기도 합니다.

하지만 쉽게 만드는 것은 자칫 원래 추구하던 수업의 목표를 훼손할 수 있습니다. 그리고 쉽게 만드는 것은 실제 학생들에게 도움이 되기 보다 교사의 자기만족을 위한 선택일 수 있습니다. 아무것도 하지 않는 학생을 보고 있는 것 보다 낮은 수준의 단순 형태의 반복이라도 시켜 수업에 참여하게 만들고 싶은 건 아닌지 되돌아 보아야 합니다. 우리는 자주 과정이 중요하다고 학생들에게 이야기하지만 실제로 결과를 중요하게 여기는 경우가 많습니다. 학생들의 수업 참여도와 상관없이 형성평가를 해결하지 못 하는 학생을 보면 수업은 실패했다고 판단하기도 합니다. 만약 수업을 타인에게 공개하는 상황에서는 더욱 이러한 결과가 신경 쓰이는 것이 사실입니다. 어떻게든 학생들이 최종 결과물을 성공적으로 완수하길 바라는 마음이 생겨납니다. 이런 마음은 때론 단순히 베껴서 답을 적는 행위에 대해서도 학생의 성취로 바라보게 만듭니다. 원래 학생들이 배우기 위해 행해야 할 경험은 진행되지 않더라도 최종 결과물은 완수한 학생들을 보면 교사는 쉽게 안도합니다.

그러나 우리의 목표는 학생들의 결과적 행위가 아닌 학생들의 경험적 과정 속에 존재합니다. 따라서 중요한 것은 학생들이 교사가 의도한 학습경험을 경험했는지 여부입니다. 우리는 많은 고민과 노력 끝에 자신의 수업목표를 실현시키며 학생들이 가장 잘 배울 수 있는 경험을 구성하였습니다. 그 경험을 학생들이 수행하였다면 현재 교사 수준에서는 가장 최고의 수업을 진행한 것입니다. 물론 교사가 기대한 경험을 학생들이 행하더라도 학생에 따라 그 결과는 다를 수밖에 없습니다. 학생에 따라 목표에 이르지 못 할 수도 있고, 이는 또다시 교사에게 성장의 기회를 제공하는 지점으로 삼으면 충분합니다.

이러한 교사의 태도는 학생에게도 유익합니다. 학생들에게도 진정한 배움은 교사가 나누어준 자료의 빈칸을 채우는 것이 아니라는 것을 알게 합니다. 배움을 위한 의미있는 경험 자체가 소중한 것임을 깨닫습니다. 이러한 경험의 누적은 학생들에게 배움이 본질적으로 가지는 즐거움을 알게 합니다.

따라서 선생님께서 먼저 학생들의 가능성을 믿어보시기 바랍니다. 지속적으로 성장가능한 경험을 학생에게 제공한다면 모든 학생들이 언젠간 성장할 수 있다는 믿음을 가질 것입니다. 학생들은 선생님이 상상한 목표 이상으로 수업에서 성장할 수 없습니다. 선생님이 더 크고 더 넓게 학생의 성장을 상상하면 좋겠습니다. 눈앞의 만족을 위해 학생을 작은 울타리에 가두는 일이 생기지 않길 바랍니다.

그래서 목표는 되도록 모든 학생들에게 동일하게 설정하기를 바랍니다. 그래야 모든 학생들이 성장가능 합니다. 이때, 목표가 결과로 생각하면 제 의미가 왜곡되어질 수 있습니다. 어렵고 복잡한 과제를 해결할 수 있는 것이 더 큰 목표가 아닙니다. 목표는 학생들이 무엇을 경험해야 하는지로 표현되어야 합니다. 예를 들어 24를 소인수분해하는 것보다 345,232와 같이 큰 수를 소인수분해 할 수 있게 만드는 것을 목표로 삼아서는 안 됩니다. 수업 속에서 '학생들이 소수가 이래서 필요한거구나!'라는 '아하!'의 순간이나, '소수를 이용해서 수를 분해하면 정말 유용해. 내가 직접 한거야!'라는 만족감 등이 목표로 삼아져야 합니다.

이러한 내적 동기가 자극되도록 수업을 구성하고, 그러한 자극이 쌓이고 쌓인다면, 학생들은 어느새 훌쩍 커 있을 것입니다. 그러나 여전히 '어떻게?'에 대한 고민은 남습니다. 선생님이 학생들에게 경험을 제공하려고 해도 학생들이 시도하지 않을 수도 있습니다. 때론, 선생님이 의도한 대로 학생들이 경험했음에도 학생들은 아무런 성장을 이루지 못 할 수도 있습니다. 너무 다양한 변수가 수업에는 존재하고, 아주 미묘한 상태 변화가 학습의 성패를 좌우하기도 합니다. 그리고 이러한 미묘한 변화는 수업을 진행하는 선생님은 알아차리기도 어렵습니다. 아니 사실 수업을 진행하는 선생님은 교실의 상황의 아주 일부분만 자각할 수밖에 없습니다.

따라서 수업을 함께 보고, 자신의 수업을 성찰할 수 있도록 도와주는 친구가 필요합니다. 친구는 수업자가 자신의 수업을 객관적으로 볼 수 있게 해주어야 하며, 수업자의 수업 목표에 비추어 자신의 수업을 되돌아 볼 수 있게 해야 합니다.

이를 잘 수행하기 위해서는 주의해야할 점도, 연습해야할 일도 있습니다. 이를 익혀서 먼저 주변 동료 선생님들의 수업친구가 되어주시기 바랍니다.

Part 2

수업의
감상

"과정에서 실패하는 것은
그 과정에서 배우는 것을 포기하는 것보다 나쁘지 않다."

- 빌 게이츠

설계대로 진행하는 교사의 역량

자신의 수업 목표를 현실로 만들기 위해 목표를 설정하고, 목표달성을 위해 필요한 학생들의 경험을 제공할 수업 준비도 마쳤습니다. 이제 수업을 설계한 의도대로 수업을 운영할 수 있다면 자신의 이상을 현실로 만들어 낼 수 있는 교사가 되는 것입니다.

하지만 우리는 이미 이 지점에서 많은 실패를 경험했습니다. 방학을 반납하며 들은 연수에서 아주 인상적인 수업 자료를 내 수업에 적용했더니 실패했던 경험, 유명한 선생님의 공개수업을 보고 수업자료를 받아와 적용했으나, 공개수업에서의 학생들의 모습과 나의 수업 속 학생들의 모습의 극명한 차이를 확인한 경험이 있으실 겁니다.

마찬가지로 우리가 목표를 이루기 위해 공을 들여 만든 수업이 실제 수업의 성공을 보장하지 않습니다. 주의할 점은 여기서 성공은 지금까지 선생님이 경험 했던 실패의 반대말이 아닙니다. 수업에서 성공의 판단하는 가장 중요한 기준은 교사가 계획한 학생의 경험이 실제로 학생들에게 진행되었는지 여부입니다. 교사가 의도한 학생 경험이 학생들에 의해 잘 행해졌다면 교사의 이번 수업은 분명 성공한 것입니다. 물론 교사의 의도에 들어맞게 학생들의 경험이 진행되었더라도 학생들이 실제 교사가 기대한 배움에 이르지 못 할 수도 있습니다. 그럼에도 수업은 분명 성공한 것임을 다시 한번 강조합니다. 이를 구분할 수 있어야 수업을 성찰하고 이를 계기로 또다시 교사가 성장할 수 있습니다. 내가 원하는 학생의 경험을 실제 학생에게 이끌어내는 것은 수업 중에 발현될 역량이며, 내가 구성하고자 하는 경험이 실제로 학생들에게 제공되었을 때, 학생의 배움의 가능성을 높이는 일은 수업을 설계할 때 필요한 역량이기 때문입니다.

이를 구분한다면 수업을 준비하는 과정에서 큰 도움이 됩니다. 수업에서 학생들에게 필요한 경험을 선정하는 일이 어렵다는 것을 느끼고 오셨을 겁니다. 수업을 실행하며 받은 이런 피드백은 학생들에게 필요한 경험을 선정하는 능력을 자연스럽게 키우고, 구성한 경험과 실제 학생들의 배움의 가능성의 상관관계를 높이게 해줄 것입니다.

이번 챕터부터는 내가 제공하고 싶은 학생들의 경험을 실제 학생들이 수업 속에서 행할 수 있게 만드는 수업역량을 키울 방법에 대해 집중적으로 살펴보고자 합니다. 수업은 수 많은 요소가 유기적이고 복합적으로 작용하고 있어, 수업을 보지 않고 대안을 제시하는 것은 불가능합니다. 그래서 수업역량을 키우기 위해서는 실제 수업을 소재로 삼을 수밖에 없습니다.

하지만 수업하는 교사는 그 수업의 극히 일부만을 인지할 수밖에 없습니다. 한 아이의 질문에 자세히 답변해주고 있으면 남은 아이들은 무엇을 하고 있는지 확인할 수 없습니다. 모두가 내 시야에 들어온다고 하더라도, 각 학생들이 어떤 생각을 가지고 있는지, 내 의도대로 학생들은 경험하고 있는지 확인하는 것은 불가능 합니다. 그리고 '나에겐 내'가 잘 보이지 않습니다. 자신의 행동은 익숙하고 자연스러워 이상하게 여겨지지 않습니다. 나와 다른 것이 눈에 잘 드러나는 법입니다. 그리고 무엇보다 아직 우리는 스스로 깊이있게 수업에 대해 성찰할 수 없습니다. 그래서 누군가 필요합니다. 나의 수업을 나에게 제대로 보여주고, 나를 성찰하게 만들 그런 친구가 필요합니다.

우리가 다른 선생님들에게 그런 친구가 되어주기를 희망합니다. 그러기 위해 필요한 이야기를 지금부터 시작해보겠습니다.

수업을 감상하세요.

수업은 현대예술 같다는 생각이 듭니다. 저는 미술관에 가면 뭐든 조심스럽습니다. 작품인지 일반 조형물인지, 때론 편의시설인지도 확신이 서지 않을 때가 있습니다. 다리가 아파도 확신이 서지 않는 의자처럼 생긴 무언가(?)에는 다른 사람이 먼저 앉기 전에 앉을 수가 없습니다. 실제로 마르셀 뒤샹은 1917년 직접 만들지도 않은 남성용 소변기를 그것도 가명으로 서명하여 뉴욕 그랜드 센트럴 갤러리의 앙데팡당전에 출품하기도 했습니다. 평범해 보이거나, 때론 흉측해 보이는 그 어떤 것도 어쩌면 예술품일 수 있다는 생각을 가지니, 미술관에서는 내 느낌이나 작품에 대한 판단을 말로 표현하는 것이 조심스러워졌습니다. 아마 무언가 작가는 의도가 있었을 테고, 그 작가는 분명 저보다는 예술에 대한 전문성을 가졌을텐데, 아주 잠깐의 감상으로 평가한다는 것이 예의가 아닌 것 처럼 느껴졌기 때문일 것입니다.

수업을 하는 선생님들도 예술가와 마찬가지라고 생각합니다. 특히 다른 선생님들에게 수업을 공개하는 수업은 마치 미술관에 자신의 작품을 출품하는 예술가의 마음일 것입니다. 수업을 준비하면서 수 많은 고민을 하고, 자신의 수업 고민을 해결하기 위한 다양한 방법들을 모색하여, 자신의 최선의 선택을 수업에서 수행합니다. 하지만 우리는 수업하는 선생님의 이러한 과정을 알지 못하고 수업을 참관하게 됩니다.

수업을 참관할 때, 자신이 가장 존경하는 예술가의 작품 전시회에 간 예술가 지망생의 마음으로 참여하면 어떨까 싶습니다. 아마 예술가 지망생은 각 작품들을 보면서 작가의 숨은 의도를 찾으려 노력하고, 작품의 배치순서, 작은 붓터치 하나, 조명, 심지어 실내 공기까지도 나름의 의미를 부여하려고 할 것입니다. 절대 쉽게 자신의 시선에서 해석하거나 판단하지 못하게 됩니다. 뭔가 이상한 부분이 보일지라도, 왜 작가가 그러한 선택을 했을지에 대해 고민할 뿐, 비판하지 않을 것입니다.

우리도 수업을 이러한 관점에서 감상할 수 있게 되기를 바랍니다. 수업 중 모든 행위는 수업자의 의도가 포함된 것임을 잊지 말고, 수업자는 어떤 목표를 이루기 위하여 이러한 선택을 하고 있는 것인지 끊임없이 궁금해하며, 그 목표는 학생들에게 어떻게 도달되어가고 있는지 객관적으로 관찰할 수 있어야 합니다. 수업 감상을 잘 할 수 있는 방법들을 익혀 수업자의 성장을 돕는 수업친구가 되어주시길 기대합니다.

수업을 함께 준비하세요.

최근 '더글로리'라는 송혜교 주연의 드라마를 재미있게 봤습니다. 그러다 보니 유튜브에 관련 영상들이 자연스럽게 추천되어 눈에 들어왔고, 몇몇 드라마를 해석하는 영상을 보며, 같은 드라마를 보더라도 이렇게 깊이가 다르게 바라볼 수 있다는 걸 느끼며 신기했습니다. 배우의 시선, 카메라의 각도, 장면의 전환, 숨은 복선, 그냥 지나칠 법한 대사 등 다양한 요소에 감독의 의도를 해석하는 모습을 보며, 수업에서도 수업자의 의도를 해석할 수 있는 눈을 나는 가지고 있는지 반성하게 되었습니다.

잘 알지 못 하는 선생님의 수업을 보고 그 의도를 파악하는 것은 오류를 범할 가능성이 큽니다. 수업을 잘 감상하기 위해서는 수업자에 대한 이해가 선행되어야 합니다. 하지만 타인을 이해하는 일은 그렇게 단순하지 않습니다. 그렇기에 우리는 그 삶의 전부를 이해하고자 하진 않을 것입니다. 대신 선생님으로써 그 사람을 이해하려고 노력할 것입니다. 이때, 수업을 함께 준비해 보는 것은 매우 효과적입니다.

여기서 수업의 준비는 Part1 의 방식을 따르는 것을 뜻합니다. 수업을 공개할 차시가 아닌 단원을 선택하고, 목표를 설정하는 일부터 함께 시작합니다. 그리고 그러한 목표가 이루어지기 위해 학생들에게 필요한 경험들을 선정하고, 가장 효과적인 순서로 배치될 수 있도록 돕습니다. 이러한 전체적인 수업의 흐름을 설계하는 과정에 대한 대화에서 교사의 의도는 자연스럽게 잘 드러납니다. 따라서 수업을 준비하면서 얻고자 했던 수업하는 선생님(이하 수업자)에 대한 이해는 이 과정에서 충분히 얻을 수 있으며, 이 과정을 겪는 수업자 또한 스스로 성찰하며 성장하는 시간을 가지게 될 것입니다. 이 후 세부적인 수업 설계는 수업자의 몫으로 남겨 좀 더 고민하여 수업 준비에 힘을 쏟을 수 있게 하면 됩니다. 그리고 시간이 허락한다면 구체화된 수업 자료를 함께 교사의 목표에 비추어 점검해보면 좋습니다.

아마 선생님께서는 지금껏 수업의 목표를 설정하거나, 전체적인 수업의 흐름을 설계하는 대화를 해보지 않았을 것입니다. 보통 개발된 수업 자료를 공유하고 간단한 피드백을 나누는 경험들이 일반적인 수업에 대한 협의 경험일 것입니다. 자료가 구체적일수록 대화의 여지는 줄어들고, 자칫 잘잘못을 따지는 대화로 흐를 위험이 있습니다. 반면 수업의 목표를 설계하는 일은 스스로 성찰해 볼 수 있는 기회를 제공하는 것이고, 목표를 이루기 위한 학생들의 경험을 선정하는 일은, 기존의 틀에서 벗어나 자유롭고 다양한 상상을 해볼 수 있는 기회를 제공합니다.

수업을 함께 준비하는 대화가 잘 이루어지기 위해서는 준비가 필요합니다. 따라서 만남을 갖기 전 준비할 단원만 미리 정하고, 만남을 위한 준비를 해야 합니다. 크게 대화의 방법을 익히는 것과, 선택한 단원에 대한 이해를 갖는 것입니다.

대화의 방법

사람의 성장에는 경험이 요구되고, 실제 그 경험이 진행될 가능성을 높이려면, 스스로 그 경험을 선택해야 합니다. 상대 선생님에게 자신의 방법을 가르치거나 강요해서는 쉽게 성장에 이를 수 없습니다. 우리의 역할은 스스로 특정 경험을 선택하게 하고, 그것을 실제로 행할 수 있도록 응원하고 도와주어야 합니다. 대화의 흐름을 우리가 주도하되 대화의 중심에는 상대 선생님이 있어야 합니다. 그러기 위해서는 먼저 잘 듣고, 상대가 원하는 본질을 발견할 수 있어야 합니다. 사람들은 자신이 겪고 있는 상황이나 자신을 둘러싼 타인들에 대한 설명은 비교적 잘합니다. 하지만 자신이 느끼는 감정이나 그러한 감정을 촉발한 원인을 설명하는 일은 어려워합니다. 우리가 해야 할 일은 여기에 있습니다. 상대방의 이야기를 듣고, 상대의 감정, 그리고 그 감정이 발생한 원인을 찾는 것을 도와야 합니다. 이때, 원인은 외부에서 찾아서는 안됩니다. 상대방의 내부에서, 상대방이 간절히 원하는 그 무언가를 발견해 주어야 합니다. 우리는 잊고 있던 상대방의 꿈을, 목표를 밝혀 길을 잃지 않도록 도와주는 역할을 수행하게 될 것입니다

교사의 수업목표에 대한 대화

교사의 목표를 분명히 하는 일은 수업의 과정에서 매우 중요합니다. 그리고 상대의 목표를 알고 있어야 준비하는 수업이 목표로 향하고 있는지 확인할 수 있습니다. 그래서 다음과 같은 이야기로 대화를 시작하면 좋습니다. 이러한 내용은 비교적 편안하게 대화나눌 수 있기 때문에 대화를 시작하기에도 적합합니다.

- 선생님은 어떤 수업을 하고 싶으세요?
- 학생들은 어떻게 배운다고 생각하세요?

이러한 질문들을 던지며 이야기를 나누는 것의 목적은 상대방의 수업에 대한 목표를 찾아주기 위한 과정임을 절대 잊어서는 안됩니다. 우리는 단순히 들어주는 존재가 아닙니다. 상대방의 목표를 밝혀주는 역할을 해야 합니다. 다음과 같은 추가질문들을 하면서 교사 스스로 깊이 있게 생각해 볼 수 있도록 도와 주어야 합니다.

- 조금 더 자세히 설명해 주시겠어요?
- 선생님이 말한 ~는 어떤 의미인가요?
- ~는 선생님에게 왜 중요한가요?
- 선생님은 (내가 추측하는 진짜 목표)가 중요한건가요?

위와 같은 질문들을 하며 교사의 생각을 더욱 깊이 있게 만들어야 합니다. 깊이 생각해보지 않은 질문에 상대방은 다소 당황하거나 머뭇거릴 수도 있습니다. 그 순간을 기다려 주어야 합니다. 충분히 생각해 보도록 시간을 부여해 주시길 바랍니다. 성찰하기 위해 마련된 시간이며, 목표는 이러한 성찰의 반복으로 명확해 집니다.

그럼에도 주의해야할 것이 있습니다. 가짜 목표를 목표로 생각해서는 안됩니다. 일반적으로 교사가 생각하는 하나의 해결책이 가짜목표가 되는 경우가 많습니다. 예를 들어, 저는 '배움의 공동체'를 접하며 '어떻게 하면 한 명의 아이도 소외받지 않게 만들까?'를 고민하며 이를 목표로 삼았던 적이 있습니다. 학생들이 소외되지 않게 하기 위해서 수업을 재미있게 만들기 위해서만 노력하게 됐습니다. 하지만 제가 진자 원하는 수업을 단순히 학생들이 소외받지 않는 것이 아니었습니다. 그저 재미(fun)있기를 바랐던게 아니었습니다. 배운다는 것의 가치를 아는 것, 그로인해 배우는 것이 재미있어지는 것이 목표였다는 것을 깨닫고, 새롭게 수업을 설계해 나갈 수 있게 되었습니다.

우리는 계속 질문해 주어야 합니다. 상대가 진짜 목표에 다다를 수 있을 때까지 함께 이야기 나누고 목표를 함께 찾아나가 주어야 합니다. 한 번에 진짜 목표에 다다르지 못 할 수도 있습니다. 수업을 해 보고, 수업을 성찰하고, 다시 수업에 대해 생각하는 과정이 반복되면서 자연스럽게 자신의 목표가 더욱 분명해 질 것입니다. 그 과정에 함께 있어주는 동료가 되어주시면 좋겠습니다.

단원의 핵심경험 선정을 위한 대화

보통 수업의 소재가 왜 중요한지를 물으면 대부분 유용성의 측면에서 대답하거나, 소재가 학문적으로 중요한 위치에 있음을 설명합니다. 하지만 이러한 방식은 수업을 준비하는 데 크게 도움이 되지 않고, 학생들에게 자신의 수업을 받게 할 명분을 잃어 선생님 스스로 수업의 동력을 잃을 수 있습니다. 중학교만 되어도 배우는 대부분의 내용은 학생들의 직접적인 삶과 무관한 경우가 많고, 그 유용함이 실제로 필요한 학생들은 소수에 불가할 수밖에 없습니다. 더욱이 학생들에게는 자신들이 배우는 지식의 학문적 위치는 관심 대상일리 없습니다.

따라서 중심을 학생의 경험에 두고, 학생들에게 어떤 경험을 제공할 수 있는 단원이기에 중요한지 생각해 볼 수 있도록 해야 합니다. 이때 선생님의 역할이 중요합니다. 대부분 이러한 관점에서 단원의 중요함을 생각한 경험이 많지 않을 것이기 때문에, 적절한 반응으로 수업자가 바른 방향으로 생각할 수 있도록 도와주어야 합니다. 다음과 같은 질문들로 대화를 시작해 볼 수 있습니다.

- 이 단원은 왜 중요하다고 생각하세요?
- 이 단원을 수업하는 데 어떤 고민을 가지고 계신가요?
- 실제로 수업했던 경험이 있으신가요? 어떤 어려움이 있었나요?

소인수분해 단원을 주제로 가상의 대화를 상상해보겠습니다.

B: 선생님은 소인수분해 단원이 왜 중요하다고 생각하세요?

A: 소인수분해를 배우면 최대공약수나 최소공배수를 쉽게 구할 수 있어요.

이때, 이렇게 대화를 일단락하고 '단원의 목표를 잘 대답했으니 다음 이야기를 해볼까?' 하고 넘어가면 안됩니다. 여러 각도에서 생각해 볼 수 있도록 추가적인 질문이 필요합니다. 다음의 몇 가지 전략들을 혼용해서 사용해 볼 수 있습니다.

1. 중요한 것을 계속 물어보기.

B: 그럼, 최대공약수나 최소공배수를 구하는 것은 왜 중요해요?

A: 흠⋯ 최대공약수나 최소공배수가 활용될 만한 실생활 상황들이 존재하거든요.

B: 학생들이 실제 자신의 문제를 해결해보게 하는 경험이 중요한 건가요?

A: 네, 그런거 같아요. 학생들이 어려움에 처했을 때, 수학이 도움을 주는 도구가 되면 좋겠어요.

이렇게 중요한 것을 계속 묻다 보면 정말 원하는 것을 발견하게 될 수도 있습니다. 혹은 자신이 처음에 중요하다고 생각했던 것이 사실 그다지 중요하지 않았다는 걸 자각하게 될 수도 있습니다.

B: 학생들이 실제 자신의 문제를 해결해보게 하는 경험이 중요한 건가요?

A: 그것도 중요하긴 한데, 최대공약수나 최소공배수는 사실 학생들에게 의미있게 다가올만한 자신들의 문제가 별로 없을 거 같아요⋯ 그럼 뭘 중요하게 봐야할까요?

목표를 발견하는 것 만큼, 자신의 목표가 불분명했음을 인지하는 것도 중요합니다. 이럴 때, 좀 더 구체적으로 설명할 수 있도록 질문하는 것은 도움이 될 수 있습니다.

2. 발언의 의미를 설명해 주기를 요청하기

대화의 처음으로 다시 이동해 보겠습니다.

B: 선생님은 소인수분해 단원이 왜 중요하다고 생각하세요?

A: 소인수분해를 배우면 최대공약수나 최소공배수를 쉽게 구할 수 있어요.

B: 학생들이 최대공약수나 최소공배수를 쉽게 구할 수 있게 된다는 것은 어떤 의미인가요? 계산을 빠르고 정확하게 하는 건가요?

A: 그런것도 있겠지만, 그것보다는 소인수분해를 사용하면 최대공약수나 최소공배수를 구해야 하는 상황에서 소인수분해가 유용하다는 것을 알게 되는거예요. 그래서 그러한 상황을 맞이했을 때, 직접 약수나 배수들을 하나하나 구하는게 아니고, 소인수분해의 원리를 이용해서 '짠' 하고 구하는 거죠.

대화는 기본적으로 함축적일 수밖에 없습니다. 말에는 우리의 인생이 담겨 있습니다. 살아온 자취에 따라 동일한 말이더라도 다른 의미를 가지게 됩니다. 따라서 상대의 말을 온전히 이해하는 것은 불가능한 일입니다. 이러한 사실을 받아들이고, 상대를 이해하기 위한 노력의 과정이라 여기면, 이 마음이 상대방에게 전달되어 보다 진솔한 대화가 가능할 것입니다. 또한 말하는 사람은 습관처럼 말이 구사되어 자신의 말이 어떠한 의미가 더 내포되어 있는지 인식하지 못 하는 경우도 많습니다. 이때, 어떤 의미인지 다시 설명해 주기를 부탁하거나, 좀 더 구체적으로 표현해 주기를 부탁한다면, 자신의 말에 대해 좀 더 깊이 생각해 볼 기회가 제공될 것입니다. 이때, 주의해야 할 것이 있습니다. 대화의 범위가 넓어지지 않고, 깊어지는 대화가 되어야 합니다. 충분히 자신이 처음 표현한 말에 대해 깊이 있게 성찰해 볼 기회를 주어야 합니다. 잘못된 질문으로 충분히 성찰하지 못한다면 앞으로의 과정이 진행되기 어렵습니다. 사람들은 할 말이 떠오르지 않을 때, 화제를 전환하게 됩니다. 수업에 대해 이야기 할 때도 이런 경우가 많이 발생합니다. 그래서 이런저런 다양한 주제에 대해 이야기는 나누지만 깊이 있게 고민하지 못한채 대화가 종료되곤 합니다. 이때, 반영은 도움이 되는 말하기 기법일 수 있습니다. 상대방이 성찰할 수 있도록 돕고 싶으나 무슨 말을 해야 할지 모를 때는 화제를 바꾸기보다 상대방의 말을 다시 반복해서 들려주면 됩니다. 그리고 잠시 기다리면 됩니다. 이 기다림은 상당히 중요합니다. 그러나 많은 사람들이 이 기다림을 어려워 합니다. 상대방의 반응이 즉각적으로 나오지 않으면 나의 질문이 이상한건 아닌지 걱정도 되고, 부연설명을 하면서 이야기가 다시 다른 주제로 넘어가 버리곤 합니다. 하지만 상대방이 즉답을 미룬다는 것은 좋은 현상입니다. 상대방은 생각할 시간이 필요한 겁니다. 이러한 생각할 시간을 부여하고자 대화를 나누는 것입니다. 오히려 쉬지 않고 대화가 오가는 것보다, 깊이 고민하고 생각하게 만드는 대화를 진행하는 것이 훨씬 바람직합니다. 따라서 대화에서 침묵을 즐겨야 합니다.

그렇다면 언제까지 화제를 변경하지 않고 깊이 있게 대화를 나누어야 할까요? 대화의 첫 번째 목표는 '교사의 목표'를 찾는 일이고, 두 번째 목표는 '목표를 이루기 위한 학생의 경험'을 구상하는 것입니다. 따라서 먼저 교사의 목표가 무엇인지 탐색하는 방향으로 이끌어가야 합니다. 앞의 대화에서는 '학생들이 소인수분해의 유용함을 인식하는 것.', '학생들이 적재적소에 소인수분해를 활용할 수 있게 되는 것'으로 볼 수 있습니다. 좀 더 대화를 나누면서 목표를 보다 구체화시키거나, 한두 가지 목표를 추가해 볼 수도 있습니다.

어느정도 목표가 정해지면, 이를 학생에게 필요한 경험으로 치환해주는 것이 필요합니다. A교사 스스로 진행하기 어려울 수 있으므로 A교사의 발언을 바탕으로 우리가 학생들에게 필요한 경험을 확인시켜주는 것이 좋습니다.

> A: 그런것도 있겠지만, 그것 보다는 소인수분해를 사용하면 최대공약수나 최소공배수를 구해야 하는 상황에서 유용하다는 것을 알게 되는거예요. 그래서 그러한 상황을 맞이했을 때, 직접 약수나 배수들을 하나하나 구하는게 아니고, 소인수분해의 원리를 이용해서 '짠' 하고 구하는 거죠.

> B: 그러시군요. 이제 선생님 말씀이 더 이해되고, 선생님이 중요하게 생각하시는 걸 알게 되는 것 같아요. 선생님 이야기 들어 보니, 선생님은 학생들이 '소인수분해 이거 정말 좋은 건데?'라는 생각을 하는 경험이 필요한거 같아요. 또, 학생들이 소인수분해라는 도구를 스스로 선택해 보게 하는 기회를 얻게 하거나, 혹은 반대로 소인수분해를 이용하지 않음으로써 학생들이 번거로움을 경험하여 소인수분해의 효과를 좀 더 극적으로 느끼게 만들고 싶으신거 같아요. 어떠세요?

이처럼 수업을 준비하기 위한 대화의 최종 목적지는 수업 중 학생들에게 필요한 경험입니다. 이러한 경험을 구현하는 방법은 무수히 많이 존재할 수 있습니다. 우리는 그 가능성을 열어두되, 방향을 잃지 않고 목표한 방향으로 흘러갈 수 있도록 돕는 길잡이 역할을 해야 합니다.

단원에 대한 이해

보다 원활하게 대화를 이끌기 위해서는 미리 단원에 대해 공부할 필요가 있습니다. 앞선 대화는 수학과 교육과정에 대한 이해 없이도 충분히 가능한 대화였습니다. 하지만 B교사가 좀 더 해당 영역에 대한 이해가 깊은 교사라면 A교사에게 더 풍부하게, 다양한 각도에서 성찰할 수 있게 도울 수 있습니다. 또한, A교사가 보다 목표를 바르게 설정하도록 이끄는 것도 가능합니다.

수학과 교육과정은 나선적 구조를 따르는 경우가 많습니다. 학생들은 초등학교 5학년에서 이미 최대공약수와 최소공배수를 구하는 방법에 대해 학습했습니다. 이러한 사전 지식은 초등학교와 중학교에서의 내용을 대비시키며 중학교 교육과정에서 중요한 지점이 무엇인지 고민해 보게 만들 수 있습니다. 또한 새롭게 등장하는 개념인 '소인수분해'와 '소수'에 대한 이해가 깊다면, A교사의 말 속에서 교사의 목표를 찾거나, 목표를 학생들의 행동으로 치환하기가 수월해 집니다. 따라서 수업 친구를 만나러 가기 전 해당 단원에 대해 살펴보고,

공부해보고, 특히 미리 자신이 수업 교사라면 어떤 목표를 세우고, 학생들에게 어떤 경험을 제공해야 하는지 고민해 보면 좋습니다.

시선을 교사 자신에게 돌리기

- 요즘 수업에서 어떤 고민이 있으세요?

수업에 대한 고민이나 어려움에 대한 대화는 선생님의 목표를 탐색하기에 좋은 소재입니다. 고민이 생긴다거나, 실제 수업에서 어려움을 느낀다는 것은 자신이 추구하는 목표가 실현되지 않고 있다는 증거이기 때문입니다. 하지만 자칫 불평, 불만을 늘어놓는 대화로 흘러버릴 위험이 있으니 주의해야 합니다. 이러한 불상사를 막기 위해 이 대화의 목적을 항상 생각하고 있어야 합니다. 수업의 고민과 어려움을 나누는 목적은 선생님의 목표를 찾아주는 일 입니다.

하지만 스스로 자신의 고민이나 어려움 속에서 목표를 발견하는 사람은 드뭅니다. 그렇기에 우리가 도와주어야 합니다. 일반적으로 사람들은 자기 자신에 대한 이야기를 할 때, 환경이나 타인을 이야기하는 경우가 많습니다. 수업에서 고민이나 어려움도 마찬가지 입니다. 선생님들은 아마 이런 답변들을 하게 될 것입니다.

학생들이 수업에 참여를 안 해요.
수업시간에 돌아다니는 학생이 있어요.
가르쳐야 할 내용이 너무 많아요.

학생들 수준차이가 심해요.
학부모 민원이 너무 많아요.
우리 학교는 여유가 없어요.
기초학력이 너무 부족해요.

이처럼 대부분 학생, 교육과정 등 환경이 주체입니다. 간혹 환경 혹은 타인을 바꿀 수 있는 경우도 있겠지만 굉장히 드물고, 자신을 변화시키는 것 만큼 확실히 제어가능한 방법은 없습니다. 따라서 고민의 주체를 선생님 자신으로, 그리고 대화의 중심을 선생님이 간절히 원하는 목표로 변경해 주어야 합니다. 이때, 감정의 징검다리를 건나가시면 좋습니다. 고민이나 어려움에서 바로 목표를 도출하기에는 정보가 부족합니다. 관련된 대화를 더 나누는 것이 좋은데, 이때 다른 맥락으로 흘러가지 않고 현재의 고민에 더 머무르게 하기 좋은 방법이 감정을 물어보는 일입니다. 타인이 자신의 감정을 알아차려주는 일은 자신을 회복시키는 힘을 갖고, 대화하는 현재 공간을 더욱 안전하고 편안하게 느끼도록 도울 수 있습니다. 뿐만아니라 감정은 일반적으로 자신이 추구하는 어떤 욕구의 충족여부의 결과입니다. 따라서 감정을 나누고 그 속에 숨은 욕구를 발견하는 것은 선생님의 목표를 발견하는데 유용합니다. 예를 들어 다음과 같이 대화를 나눌 수 있습니다.

B: 선생님 소인수분해 수업하면서 어떤 어려움이나 고민이 있으셨어요?

A: 학생들이 초등학교 때 방식으로 최대공약수나 최소공배수를 구할 순 있는거 같은데, 잘 모르는거 같아요.

B: 학생들이 잘 배운건지 확신이 안 드셔서 좀 찝찝하시나요?

A: 네, 맞아요. 제가 원한건 그냥 답을 구하게 만드는게 아니거든요. 학생들이 이해했으면 좋겠는데, 그냥 계산만 잘하는 거 같아요.

단순 계산 능력이 아닌 개념에 대한 이해를 원하는 선생님의 목표에 도달했습니다. 그러나 이러한 목표는 다소 추상적이라, 실제 교사의 성장을 위한 도움을 주기 어렵습니다. 실제 수업의 변화에 도움을 줄 수 있는 것은 목표를 달성하게 만드는 '학생에게 제공할 경험'입니다.

교사의 목표와 목표를 이루기 위한 학생의 수업 속 경험과의 간극은 생각보다 큽니다. 때론 찾지 못 할 수도 있습니다. 그럼에도 이런 고민을 선생님이 마음속에 품고 지속적인 노력을 기울인다면 분명 선생님은 성장의 길에 올라있는 것입니다. 이를 위해, 깊이를 더하는 질문을 계속 해주어야 합니다. 다시 한번 강조하지만, 다른 길로 대화의 물줄기가 넓어지지 않고, 깊어질 수 있도록 도와주시길 바랍니다.

A: 네, 맞아요. 제가 원한건 그냥 답을 구하게 만드는게 아니거든요. 학생들이 이해했으면 좋겠는데, 그냥 계산만 잘하는 거 같아요.

B: 마음대로 잘 안돼서 답답하시겠어요. 선생님이 생각하시기에 학생들이 소인수분해를 이해하게 되는 것은 무엇을 할 때 가능해지나요? 좀 어

렵다면, 예를 들어 소인수분해 문제를 반복해서 많이 풀어서 잘 하게 되면 이해한 건 가요?

A: 흠… 글쎄요. 그렇게 되면 학생들은 아마 답은 잘 구할 거 같고, 때론 자주 사용하다보니 이해되는 학생도 있을거 같긴 한데요. 그걸 제가 원하는거 같진 않아요. 잘 모르겠는데요.

B: 그렇다면, 선생님은 어떤 학생들이 소인수분해를 이해했다고 생각하세요? 잘 이해한 학생들은 어떻게 알아볼 수 있죠?

A: 소인수분해를 왜 써야 하는지 아는 학생들이요. 수학에서 소수라는게 굉장히 중요하거든요. 왜 소수로 분해하는지, 소수로 분해하면 어떤 장점이 있고, 이 장점을 활용하면 약수, 배수 등을 쉽게 구할 수 있다는 것을 아는 거요.

B: 아…. 소수는 학생들이 이번에 처음 배우는 거 잖아요? 학생들이 약수나 배수 관련한 문제를 해결하는 과정에서 이런 저런 수들을 사용하는데, 도움이 되는 뭔가 특별한 수가 있다는 사실을 발견하는게 필요한 걸까요? 그 특별한 수가 알고보니 소수였고, 소수는 정말로 유용하다는 것을 느끼고, 그렇기 때문에 소수는 정의하면 좋겠고, 정의를 내려보면 교과서의 정의와 유사하게 정의될 수밖에 없음을 학생들이 자각하게 되는 경험. 뭐 이런 것들이 필요한거 아닐까요?

대화를 통해 학생에게 필요한 경험을 다음과 같이 찾아볼 수 있었습니다.

1. 약수나 배수를 구하는 데 특별히 도움이 되는 수들이 존재한다는 것을 깨닫는 경험
2. 특별한 기능을 가진 수를 정의해 보는 경험
3. 나의 정의가 수학자의 정의와 유사하다는 것을 확인하는 경험

이렇게 경험이 찾아진다면, 이러한 경험이 구현 가능한 수업을 설계하면 됩니다. 그렇게 설계된 수업은 교사의 목표를 이루기에 적합한 수업일 것입니다.

하지만 교사의 목표를 학생의 경험으로 상상해 내는 일은 어렵습니다. 따라서 많은 연습이 필요합니다. 대화의 소재로 다루는 단원에 대한 이해도 요구되고, 학생의 배움의 관점에서 사고하는 연습도 필요합니다. 한 번에 위의 B교사처럼 학생들의 경험으로 바꾸어 제안하는 것은 분명 어려운 일이나, 지속적인 연습을 통해 가능해집니다. 그리고 그러한 연습과정 자체는 참여하는 모든 선생님들의 성장과정입니다.

수업의 흐름 정하기

수업을 함께 준비하는 마지막 단계입니다. 학생들에게 제공할 경험들이 선정되면 경험의 적절한 배치가 필요합니다. 순서에 따라 학생들의 배움은 크게 차이가 날 수 있으니 아주 중요한 작업입니다. 예를 들어, 수학 교과서에는 예제와 그와 동형의 문제를 차례대로 제시

하는 경우가 많습니다. 이때, 예제를 칠판에 교사가 풀어주면 학생들은 그 방법을 그대로 답습하게 됩니다. 이는 학생들에게는 모방하여 답을 구하는 것이 중요한 것처럼 보이게 됩니다. 반대로 개념에 대한 학습이 된 학생에게 문제를 먼저 제시하고, 시도하게 한 후 예시문제를 통해서 풀이 방법에 대해 정리할 수도 있습니다. 이는 학생들에게 개념의 학습 이유가 문제를 해결하기 위해서라는 생각을 가지게 할 수 있습니다. 이처럼 동일하게 예제 한 문항과 문제 한 문항을 해결하지만 그 순서에 따라 학생들에게 기대하는 바는 달라지는 것입니다. 이처럼 선생님이 학생에게 기대하는 바가 충족되기 위한 흐름을 설계하는 것은 매우 중요합니다.

포스트잇 같은 도구를 이용해도 좋습니다. 저는 개인적으로 마인드맵 프로그램을 자주 사용합니다. 마인드맵 프로그램은 여러 종류가 있어 쉽게 검색하여 사용하면 되고, 참고로 저는 xmind 라는 프로그램을 이용 중입니다. 앞서 나온 학생들의 경험들을 적습니다. 그리고 어떻게 하는게 선생님이 목표한 수업에 가장 적합한 방법인지 함께 이야기 나눕니다. 여기까지 대화를 잘 이끌어 왔다면, 서로의 의견을 가감없이 나눌 수 있는 상태가 되었으리라 생각합니다. 이렇게 이야기하는 과정에서 새로운 아이디어들이 떠오르기도 하고, 기존의 아이디어가 변경되기도 할 것입니다. 그렇게 최종적인 수업의 흐름을 작성하면 수업친구의 역할은 일단락 됩니다.

이제 수업할 선생님의 몫입니다. 실제 학습자료로 구현하는 일은 혼자 해보는 것이 좋습니다. 학습자료를 만들면서 생각이 정리되기도 하고, 자연스럽게 사고실험이 진행되게 됩니다. 이 과정에서 물론 함께 논의한 수업의 흐름과 달라질 수도 있습니다. 수업자료를 개발하면서 변화된 자기 생각을 기록하여, 수업친구와 공유한다면 실제 수업을 함께 볼 준비가 끝납니다.

참관에도 준비가 필요합니다.

수업을 공개하는 목적은 무엇일까요? 내가 아주 훌륭한 수업을 제작해서 이를 다른 사람들에게 전파하고 싶기 때문일 수도 있습니다. 이러한 경우는 사실 수업의 준비를 함께 하거나, 참관을 위한 준비 시간을 가질 필요가 없습니다. 참관하러 온 선생님들에게 자신의 실력을 뽐내면 충분합니다. 반면, 앞서 정의한 좋은 수업[1]의 조건을 충족시키기 위한 수업 공개라면, 교사의 성장을 돕기 위해 참관하는 선생님들도 역할을 해 주어야만 합니다. 이런 관점에서 수업을 볼 때는 수업자의

---

1) 좋은 수업의 요소
• 수업에 대한 고민을 가지고 있어야 합니다.
• 고민을 해결하기 위해 노력을 기울여야 합니다.
• 노력의 결과를 수업에서 실천해야 합니다.
• 수업의 성과를 성찰해야 합니다.

시선을 갖는 것이 중요합니다. 나의 기준에서 판단하는 것이 아닌 수업자의 입장에서 해석해야 합니다. 참관하는 모든 선생님의 잣대에 수업자의 수업을 가져다 댄다면, 그 어떤 잣대도 만족스럽지 못 할 것입니다. 자신의 잣대를 내려놓고 수업자의 잣대를 잠시 빌려야 합니다. 그러기 위해서는 수업을 공개하기 전 수업자의 수업에 대한 생각을 공유할 시간이 필요합니다.

참관하는 선생님이 모두 수업을 함께 준비했다면 이 과정은 생략할 수 있습니다. 그렇지 않다면, 수업을 준비하면서 했던 생각들을 나눔으로써, 수업자의 수업의 목표와 수업을 설계한 의도를 공유할 수 있습니다.

이렇게 공유된 수업자의 시선에서 수업을 바라보아야 합니다. 선생님마다 동일한 단원에 대한 수업이라도 서로 다른 목표를 가지고 있을 수 있습니다. 그러나 이는 중요하지 않습니다. 오직 수업자의 목표가 어떻게 수업에서 반영되는지, 혹은 실패하는지 살펴야 합니다. 수업을 공개하고, 나누는 과정을 통해 수업자는 자신이 설계한 수업의 목표와 실제 수업 현장에서의 괴리를 좁혀나가는 연습을 하는 것입니다. 이러한 훈련을 통해 수업자는 점점 자신이 목표하는 수업을 현실로 구현해 내는 역량이 키워질 것입니다. 그러기 위해서는 참관하는 선생님들은 수업자의 시선으로 수업을 세심하게 관찰해 주어야 합니다.

참관록 및 사용방법

관찰을 돕기 위해 다음과 같은 양식의 참관록을 이용할 수 있습니다.

교사의 목표	목표실현을 위한 교사의 노력	학생들에게 필요한 경험	부합한 장면	부합하지 못한 장면

이때, 앞의 3열은 미리 작성해두고 참관하는 선생님들은 4,5열의 내용을 수업을 보면서 작성하면 됩니다. 위 참관록은 수업자가 미리 작성하거나, 수업을 함께 준비한 선생님이 작성해주셔도 좋습니다. 이렇게 작성된 참관록은 수업 전 교사의 수업의도를 설명하고 참관하는 선생님들에게 수업자의 시선을 가질 수 있도록 돕는데 유용합니다.

교사의 목표는 수업자의 수업에 대한 목표도 포함하여 적습니다. 해당 수업의 내용적 측면하고는 크게 상관 없더라도, 예를 들어 '학생들의 배움의 즐거움을 회복하게 하는 것'과 같이 자신의 교육목표를 적고, 그를 위해 오늘의 수업에서 진행하게 될 노력과 오늘 수업에서 학생들이 하기를 바라는 경험을 작성합니다. 그리고 교과에 대한 목표도 적습니다. 해당 교과가 가지는 목표를 수업자는 어떻게 생각하는지, 그 목표 달성을 위한 노력 및 학생에게 요구되는 경험은 무엇인지도 작성합니다. 그리고 오늘 수업과 관련된 목표들도 위와 같은 방식으로 작성하고, 이외에 교사가 설정한 목표가 존재한다면 추가해서 작성해도 좋습니다. 이 흐름대로 작성되었다면, 이 내용을 참관하려는 선생님들과 함께 공유하면 참관하는 선생님도 수업자에 대한 이해가 깊어질 수 있고, 수업을 바라볼 준비가 어느 정도는 진행될 수 있습니다.

참관록 작성 예시

처음 작성시 어려울 수도 있어 앞의 3열에 대해서 몇 가지 예시를 작성하니 참고하시길 바랍니다.

	교사의 목표	목표실현을 위한 교사의 노력	학생들에게 필요한 경험
수업 목표	학생들의 배움의 즐거움을 회복하게 만드는 수업	과제 제시의 순서를 교과서와 다르게 재배치하여 학생들이 자연스럽게 배움의 필요성을 느끼도록 구성하려고 노력함.	과제를 수행하는 도중 막막함을 느끼고, 막막함을 해결하기 위한 도구가 필요하다고 생각하는 경험, 그러한 도구를 직접 개발하는 경험.
과목 목표	(수학)문제상황을 합리적으로 해결하게 만드는 과목	문제 상황에서 출발하여 문제를 해결하기 위한 수학적 도구가 발생하는 것이 합당하다고 여기도록 수업을 구성하려고 노력.	처음엔 해결하지 못 하는 문제를 합리적으로 해결할 방안을 찾게 되는 경험
차시 목표	(소인수분해)소수가 등장할 수밖에 없는 이유를 알게 되는 것.	크고 복잡한 수의 약수를 구하는 과제를 제시하여, 새로운 방법을 찾을 수밖에 없도록 과제를 구성.	제시된 과제를 해결하는 과정이 복잡하다고 생각하는 경험. 새로운 방법의 필요성 경험. 약수 중 특별한(소수) 약수가 있음을 자각.
기타 목표	학생들끼리 소통이 원활한 수업	모둠으로 자리배치를 하고, 모둠내에서 협력이 이뤄질 수 있도록, 동형의 과제이지만 크고 복잡한 서로 다른 수를 제공하여 단순히 친구의 답을 배껴적지는 못하게 함.	숫자가 다르지만 해결 방법은 동일하므로, 어려움을 겪는 친구를 도울 때, 방법을 알려주기를 기대함.

수업을 눈으로 찍으세요.

이제 참관록을 가지고 교실에 들어갑니다. 그리고 수업을 교사의 시선으로 보려고 노력합니다. 그렇게 될까요? 아마 그렇지 못 할 것이다. 매 순간 사람들은 판단합니다. 있는 그대로 바라보기 보다 감각을 통해서 들어온 정보들은 자동으로 재해석되어 버립니다. 잠시 스마트폰을 들어 유튜브를 켜서 'The Guardian's 1986 'Points of view' advert' 를 검색해 보세요. 30초의 아주 짧은 영상입니다. 짧지만 우리는 매 순간 즉각적으로 판단하고 있음을 알 수 있습니다.

아마 영상을 보면서 '남자가 뛰어가자 상대 남자가 뒤를 돌아보았고, 뛰어간 남자가 그 가방을 잡았구나.'라고 생각하신 분은 없으실 겁니다. 자동으로 자신의 관점에서 해석한 후 받아들입니다. 따라서 우선 자신의 해석을 배제하고 수업을 바라볼 수 있어야 합니다. 그래야만 우리가 본 수업을 수업자의 시선에서 해석하고 평가해 볼 수 있게 됩니다.

하지만 쉬운 일이 아닙니다. 그래서 영상으로 녹화하는 것도 좋은 대안이 될 수 있습니다. 크기가 큰 타이머를 하나 준비하고, 카메라 프레임안에 타이머가 존재하면서, 참관 선생님들도 쉽게 타이머를 확인할 수 있게 세팅하여, 타이머의 시간을 참관록에 기록할 수 있습니다. 그리고 수업 후 협의회에서 해당 장면을 함께 보며 대화를 나눠볼 수 있습니다[2].

수업 속 교사의 모든 행동에는 나름의 이유가 있습니다. 그 이유를 참관 선생님의 각자의 시선에서 해석하게 된다면 수업자는 자신의 행동이 잘못되었다고 여기며 위축될 수 있습니다. 이러한 위험성을 제거하고자 최대한 객관적으로 수업 장면을 기록해야 합니다. 그렇기에 녹화는 좋은 방법이지만 한정된 시간에 협의회가 진행되는 학교 상황에서 녹화본을 함께 보는 시간을 확보하기란 쉬운 일이 아닙니다. 그러니 처음에는 잘 되지 않더라도, 연습이라 생각하고 지속적으로 수업 속 장면을 눈으로 찍어보셨으면 좋겠습니다.

---

2 이러한 방법은 시간이 넉넉하거나, 이 과정을 훈련하고자 할 때 적합합니다. 하지만 일반적으로 수업을 보고 난 후 나눔의 장에서 영상을 다시 재생하기에는 시간이 부족한 경우가 많습니다.

증거를 수집하세요.

수업을 공개하는 것은 일반적으로 선생님들에게 부담스럽고 어려운 일입니다. 수업을 공개하는 행위 자체가 부담이라면, 이 후 내 수업에 대한 협의회(혹은 간단한 피드백)는 공포에 가깝습니다. 수업장학이나 컨설팅 등의 형태에 익숙한 나머지 참관하는 선생님들은 무언가 조언을 해주려 합니다. 혹은 이런 분위기가 불편하다는 것을 아는 선생님들은 수업자에게 형식적인 칭찬만 들려줍니다. 이 두 가지 대화 방식은 모두 수업자에게 별반 도움이 되질 못합니다.

수업 후 참관 선생님의 발언이 수업자에게 전달이 되려면 대화가 가능한 관계가 되어야 하고, 발언의 내용은 수업자가 납득할 만 해야 합니다.

어떻게 대화가 가능한 관계가 가능할까요? 이는 수업자의 마음가짐에 따라 차이가 많이 날 수 있습니다. 수업자가 수업 공개를 자신의 성장과정으로 삼기를 원하고, 자진하여 수업을 열었다면 참관하는 선생님들은 이미 대화가 가능한 관계에서 출발할 가능성이 큽니다. 이 경우 이 관계를 훼손시키지만 않으면 됩니다. 하지만 어쩔 수 없이 하는 경우도 있습니다. 혹은 수업 공개는 원했지만 참관하는 대상이 마음에 들지 않을 수도 있습니다. 이럴 땐 더욱더 사전에 수업을 함께 준비하며 고민을 나눴던 친구가 필요합니다. 적절히 참관하는 선생님들의 말을 번역해주고, 때론 수업자 선생님을 보호해 주어야 합니다. 수업나눔의 주인공은 수업자 선생이때문입니다. 이 선생님의 성장을 위해 우리가 함께 모인 것이라는 의미입니다. 상처가 아닌 성장의 계기를 마련해 주어야 합니다.

그렇다고 수업나눔을 위해 개개인의 관계를 다시 정립하자고 이야기하는 것은 아닙니다. 다행히도 수업공개라는 상황이 주는 맥락적 힘이 있습니다. 오늘 대화의 주인공의 입장에서, 그리고 참관하는 것 역시 시간을 투자해야 하는 일이니 만큼 평소보다 수업자 선생님은 대화 가능한 관계의 범위가 넓어질 것입니다. 이런 상황에서는 참관자의 발언이 수업자에게 납득할 만하고 그로 인해 스스로 성찰하는 계기가 마련된다면, 대화를 나누기 충분한 관계가 형성되게 됩니다.

따라서 어떻게 대화를 나누어야 하는지가 중요합니다. 수업나눔을 진행해보면 선생님들은 자신이 수업에 대해 해석한 결과를 주로 이야기 한다는 것을 쉽게 확인할 수 있습니다. 예를 들어, 다음과 같은 표현입니다.

오늘 수업은 이러이러한 점이 좋았어요.
오늘 수업은 이러이러한 점이 아쉬웠어요.
오늘 수업에서 이렇게 했으면 좋았을 거 같아요.

와 같은 표현들을 주로 사용합니다. 앞에 '수업을 공개해주셔서 감사하다.'라는 수식어와 함께 말이죠. 그럼 저는 선생님들에게 다시 물어보곤 합니다.

선생님께서 말씀하진 좋았던 점(아쉬웠던 점)을 어떻게 알게 되셨나요?

질문은 받은 선생님은 다시 두리뭉실하게 답변합니다. 그럼 다시 한번 물어봅니다.

혹시 뒷받침 할 만한 수업자나 학생들의 발언이나 기록 같은 것이 있었나요?

대부분 명쾌하게 대답하지 못합니다. 어찌 보면 당연합니다. 대부분 수업을 참관하면 교실의 맨 뒤에 앉아서 수업을 받는 학생처럼 열심히 수업을 듣습니다. 수업 중 교사의 발언에 학생들이 어떻게 반응하는지 보는 것이 아니고, 그 발언을 들은 참관 교사 자신의 반응을 기억합니다. 학생들이 구체적으로 무슨 이야기를 하며 소통하는지 귀 기울이기 보다는 전체적인 학급 분위기만을 멀리서 지켜봅니다. '학생들이 서로 소통하면서 수업에 잘 참여하는게 인상적이었어요.' 라는 참관교사의 평가는 뒤에 앉아서 보니 선생님이 과제를 제시하니 뭔가를 하는 것 같으면 할 수 있는 발언인 것입니다. 실제로 중요한 것은 학생들이 이야기 나누는 행위 자체 보다, 그 대화의 질이 중요합니다. 실제 대화를 들어야 교사의 의도대로 수업이 진행되고 있는지 검증할 수 있습니다. 따라서 자세히 보아야 합니다. 수업자는 미리 학생들에게 참관하러 오는 선생님들이 가까이서 관찰할 수 있음을 이야기 해 놓고, 수업자의 동선에 방해되지 않고, 학생들의 학습에 간섭하지 않는 범위에서 최대한 가까운 거리에서 관찰해야 합니다.

우리가 수업에 들고간 참관록을 다시 한번 살펴보시기를 바랍니다. 수업자는 자신의 목표를 실현시키기 위해 최종적으로 학생들에게 기대하는 경험이 있습니다. 참관하는 선생님들에게는 이러한 경험이 실제 학생에게 일어났는지 확인할 의무가 있습니다. 따라서 우리는 참관할 때 수업을 받는 학생 입장이 되어서는 안됩니다. 학생들을 면밀히 관찰해야 합니다. 모든 학생을 관찰하는건 불가능 합니다. 한 명의 참관교사는 2~3명, 혹은 한 모둠 정도만 주의깊게 관찰하면 충분합니다. 따라서 수업 참관을 준비할 때, 학생들의 좌석배치표와 함께 관찰학생들을 미리 지정해 주시는 것이 좋습니다.

준비가 되었다면 관찰 대상 학생들과 교사의 상호작용, 활동중에는 학생들간의 상호작용을 자세히 관찰합니다. 그리고 증거를 찾아야 합니다. 참관록에 적힌 학생들에게 기대하는 경험이 진행되었다는 증거, 혹은 기대하는 경험이 실제로 이루어지지 않았다는 증거를 찾아야 합니다. 이 증거들은 사실에 입각해야 합니다. 자의적 판단이 아닌 수업 속 장면에서 실제 일어난 일을 기록해야 합니다. 그리고 이러한 증거는 합리적이어야 합니다. 학생들에게 경험의 진행 여부, 혹은 교사의 목표 실현 여부를 판단하기에 적합한 장면이어야 합니다. 이러한 장면을 모으고 기록하는 일이 수업참관에서 해야할 핵심적인 일입니다.

이때, 수업자 혹은 수업자가 제시한 학습 상황이 학생들의 경험에 미치는 영향을 중점적으로 볼 필요가 있습니다. 교사가 제어할 수 있는 부분은 자신이 수업 진행에 사용한 언행과 학생들에게 제시하는 학습 자료입니다. 따라서 이 부분과 관련된 장면을 유심히 관찰해야 합니다. 수업자의 언행과 학생들의 반응의 상호작용을 주의 깊게 본다면, 수업자의 특정 언행이 학생들에게 기대하는 경험의 실현 가능성을 높이거나 줄인다고 가정할만한 증거를 찾을 수 있습니다. 또한 학습 자료를 대하는 학생들의 모습을 관찰하면 어떤 학습 자료가 학생들의 경험을 촉진시키는지, 그렇지 않은지에 대한 증거를 수집할 수 있게 됩니다.

좋은 증거를 찾는 법

수업 참관에서 우리의 주 관찰대상은 학생입니다. 학생을 관찰하는 일에 온전히 집중할 수 있으려면 교사의 언행은 귀에게만 맡겨야 합니다. 귀로 듣고, 눈으로는 학생을 관찰하고, 교사의 모습은 상당 부분 상상에 맡겨야 합니다. 이렇게까지 학생을 보라고 말씀드리는 이유는 자연스럽게 시선이 교사에게 흘러가기 때문입니다. 보통 수업의 주인공은 교사처럼 보입니다. 일반적으로 교실에서 교사는 가장 많은 대사를 가지고, 돋보이는 위치에 선 주연배우처럼 보이며, 학생들은 적극적으로 참여하는 몇몇 조연과 다수의 엑스트라들로 이루어진 것처럼 보입니다. 따라서 자연스럽게 주인공으로 향하는 우리의 시선을 의식적으로 학생에게 붙잡아 두어야 합니다. 주인공은 맡은 역할이 많아, 자신의 역할을 수행하는 동안 주변을 잘 살피지 못합니다. 수업 중 특정 학생과 대화를 나누면 나머지 대부분의 학생들에 대한 정보는 얻지 못합니다. 그리고 우리의 망각은 아주 빠르게 일어납니다. 따라서 수업한 교사는 수업의 아주 일부, 자신이 경험한 것 중에서도 일부만을 알 수밖에 없습니다. 이러한 점에서 미리 정해진 소수의 학생만을 관찰하는 참관교사는 상대적으로 많은 정보를 보고 이를 수업자에게 알려줄 수 있는 중요한 사람 입니다.

실제 수업자는 자신의 모습을 잘 알지 못합니다. 심지어 때론 자신이 원하는 목표를 이루기 위해, 목표 달성을 방해하는 행동을 하기도 합니다. 학생들이 실수를 두려워하지 않고 수업에 참여하고, 실수를 통해 배움이 일어나기를 바라는 선생님이 있었습니다. 그래서 발표도 자주 시키려고 했습니다. 그리고 학생들에게 용기를 북돋아 주기 위해 발표할 학생을 선정할 때, '선생님이 마음에 드는'이라는 수식어를 붙이며 학생에게 발표를 부탁했습니다. 선생님의 태도는 상냥했고, 발표의 기회를 얻은 학생은 기분이 좋아 보였습니다. 그러다 수업의 마지막 즈음 동일하게 한 학생에게 발표를 요청하였더니, 어떤 학생이 '쟤는 아까도 발표 했었는데…'라는 다소 불만 섞인 혼잣말을 내뱉습니다. 마치 선생님에게 발표자로 선정되는 것은 선생님에게 인정받는 행위처럼 인식하는 듯 보였습니다. 하지만 수업이 끝난 후 이 장면에 대한 대화를 나누기 전까지는 교사는 전혀 의식하지 못했습니다.

우리의 행동의 대부분은 습관입니다. 본인 혼자서는 습관을 성찰의 대상으로 삼기 힘듭니다. 너무나 자연스러워 보이기 때문이죠. 때론 이런 습관들은 자신의 목표 실현의 장애물임에도 이를 인식하지 못하기에 목표 달성이 어려워지는 경우가 많습니다. 그리고 목표를 축소하고 '이 정도면 됐지 뭐…' 하고 현실에 안주해 버리기도 합니다. 우리는 교사가 지속적으로 가장 이상적인 목표를 유지하며 끊임없이 목표에 가까워지기를 바랍니다. 따라서 수업을 잘 관찰해야 합니다. 그리고 좋은 증거들을 찾아야 합니다.

좋은 증거는 수업자의 목표와 밀접한 관련을 가지고 있어야 합니다. 그리고 수업자가 발견하지 못한 증거면 더욱 좋습니다. 그러려면 수업자가 무엇을 중요하게 생각하는지, 어떤 수업을 하기를 바라는지 알고 있어야 합니다. 그리고 내가 학생이라면 수업 속 교사의 언행이 그러한 목표에 도움을 주고 있는지 생각해 보아야 합니다. 동시에 관찰하는 학생들이 어떤 반응을 보이는지 살펴야 합니다. 수업 속에서 학생들은 말을 많이 하지 않습니다. 따라서 단순히 학생들의 목소리만 들어서는 안됩니다. 모든 행위를 관찰해야 합니다. 무엇이 학생을 과제에 임하게 만드는지, 무엇이 학생들의 배움을 가로막는지, 무엇이 학생들이 마주한 장애물을 넘도록 도와주는지 등을 면밀히 살펴보아야 합니다. 때론 명확하게 보이지 않을 수 있습니다. 이럴 땐 어쩔 수 없이 추측이나 가정을 해야 합니다. 대신 추측(가설)을 사실과 구분하여 기록해 두어야 합니다. 동일한 상황에 대한 설명을 듣고 사람들은 다른 추측이나 다른 가설을 가질 수도 있기 때문입니다. 그러므로 수업자에게 추측을 사실인 양 이야기 해서는 안됩니다. 그러나 추측임을 밝히고 수업자는 어떻게 생각하는지 의견을 묻는다면 수업자에겐 스스로 성찰할 수 있는 좋은 기회가 될 수 있습니다.

목표에 부합하는 증거

교사의 목표에 부합하는 수업 속 증거를 찾는 일은 즐거운 일입니다. 이를 나누는 것 또한 기분 좋은 일입니다. 수업자는 기대하지 않았던 학생의 목표 달성 증거들을 보며 뿌듯함을 느끼고, 모든 학생이 배움이 가능하다며 자신감을 가질 수도 있습니다. 이러한 과정은 수업나눔의 윤활제가 될 수 있습니다. 하지만 교사의 의도대로 수업이 진행되었다는 것을 단순히 확인하고 기뻐하는 것은 수업나눔의 핵심이 아닙니다. 수업을 나누는 목적은 교사의 성장에 있습니다. 단순히 수업자의 심리적 만족감을 높이는 것뿐만 아니라 수업자의 행동 변화를 이끌수 있는 내용을 나누어야 합니다. 그러려면 학생들을 보다 면밀히 관찰하면서 수업자가 생각하지 못한 구체적인 성공사례를 나누는 것이 좋습니다.

한 수업에서 계산기를 사용해야 하는 과제가 있었습니다. 1인당 하나의 계산기를 나누어주기에는 계산기가 부족하여 2인 1조로 활동을 진행했습니다. 그러자 놀라운 일이 벌어졌습니다. 계산기를 써야 하는 복잡한 과제와 두 명에게 하나의 계산기는 자연스럽게 협력을 촉진했습니다. 한 명은 숫자를 불러주고, 한 명은 계산기를 누르는 행위로 자연스럽게 역할이 분배되었고, 숫자만 불러주던 학생이 어느 순간 왜 그런 계산을 하게 되는지 원리를 파악하게 되었습니다. 그리고는 자신이 계산을 해보겠다며 역할을 바꾸고 훌륭하게 과제를 완수합니다. 이러한 모습은 수업자의 기대 이상이었습니다. 이러한 과정 속에 수업자는 자신이 지금껏 과제를 개발하는 데는 노력했지만, 이러한 과제를 어떻게 학생들이 수행하게 만들지에 대한 고민은 하지 않았다는 것을 알아차립니다. 학생들이 협력하며 배우게 만들기를 바라며 과제를 개발했지만 협력하게 만드는 방법에 대해서는 고민하지 않았다는 것을 알아차립니다.

이는 수업자에게 단순히 협력하게 만드는 방법만을 강구하게 만들지 않았습니다. 학생들을 바라보는 태도에도 변화가 생깁니다. 여태껏 모둠활동을 제시했을 때, 학생들이 협력하지 않으면 학생들을 탓했습니다. '이 모둠은 서로 관계가 안 좋아서 그래.', '이 학생은 원래 혼자하는 학생이야.' 처럼 말이죠. 하지만 이러한 생각은 실제 수업의 성장에 도움을 주지 못합니다. 몇 차례 자리를 바꾸고 개별 학생을 타일러 봐도 다시금 제자리 입니다. 타인의 행동은 강제해서 바꿀 수 없습니다. 바로 바꿀 수 있는 것은 자기 자신입니다. 어떻게 하면 학생들이 협력이 가능하게 수업을 구성할까? 어떻게 하면 학생들이 협력할 수밖에 없게 될까?를 고민해야 하는 것입니다. 내가 바꿀 수 있는 수업 자료, 그리고 수업에서의 나의 언행을 변화시키려고 노력해야 합니다. 이 수업자에게 그러한 노력이 시작됩니다. 아마 학생들이 항상 기대 이상의 모습을 보여주진 못 할 수 있습니다. 그럼에도 학생들에게 이러한 경험들이 쌓이면 '쟤는 원래 안해.'라고 생각하던 학생들의 변화를 발견할 수 있을 겁니다.

목표에 부합하지 못한 증거

목표에 부합하지 못한 수업 속 증거들을 모으는 일은 신중해야 합니다. 목표에 부합하지 않았다는 판단을 스스로 내리고 그 장면을 기록하게 되기 때문에, 부정적 시선을 이미 가지고 있을 가능성이 큽니다. 이러한 시선은 객관적으로 수업을 바라보는 것을 방해할 수 있습니다.

그럼에도 이를 발견하는 것은 매우 중요합니다. 수업을 공개하는 목적은 교사의 성장이고, 목표와 실제 수업과의 괴리는 그만큼 성장할 수 있다는 증거이기 때문입니다. 따라서 우선은 최대한 사실에 입각하여 기록해두는 것이 좋습니다. 자료는 잘 처리할 수만 있다면 많을수록 좋습니다.

최대한 적되, 해석이나 평가를 배제하고 상황만 기록하면 됩니다. 기록한 상황들은 수업나눔에서 모두 다루지는 않을 것입니다. 목표와 수업의 괴리가 너무 크다면 자칫 수업자를 좌절하게 만들 수도 있기 때문입니다. 수업자가 가장 고민되는 지점이나 가장 이루고 싶은 지점과 관련한 상황만 사용하게 될 것입니다. 어떤 상황이 적합하게 사용될지 참관 도중에는 결코 알 수 없습니다. 그러니 우선 증거를 많이 수집해 주시기 바랍니다. 수업자에게 소중한 자원이 됩니다.

Part 3

수업의
나눔

"좋은 시간이든, 나쁜 시간이든,
어떤 상황에서든 대화를 깊이 있게 이끌어 나가는 것이
필요하다."

- 디터 진스터

대화는 깊어져야 합니다.

일반적인 수업협의회를 떠올리면 어떤 모습이 떠오르나요? 일반적으로 동그랗게 모여 앉아 차례대로 한 마디씩 하고, 마지막에 컨설턴트나 관리자의 멘트와 수업자의 소감 및 감사 인사를 끝으로 마무리 되는 형태가 아닐까 싶습니다. 이러한 대화는 분절적일 수밖에 없습니다. 수업자에게 깊이 있는 성찰의 경험을 제공하기 위해서는 연속적인 오고감이 있는 대화가 필요합니다. 하나의 주제가 정해지면 그 내용과 관련된 각종 수업 속 증거들을 살펴보며 무엇이 진실인지, 앞으로 어떻게 해야 하는지 고민해야 합니다.

이때, 다수와 함께 대화를 진행하는 것은 사실 좋은 방법은 아닙니다. 여러 사람이 각자의 생각을 이야기하다 보면 대화의 흐름이 일관성을 가지며 흘러가기 어렵습니다. 자연스럽게 대화의 상대가 바뀔 때마다 대화의 소재가 변화되어, 대화의 깊이가 깊어지기 어렵습니다. 따라서 수업자와 직접 대화를 나누는 사람은 한두명만 존재하는 것이 좋습니다. 그러나 일반적으로 학교에서 수업을 공개하고 나누는 과정에는 그 보다 많은 사람들이 참여하기 마련입니다. 그리고 이렇게 참여한 선생님에게 수업을 참관하고 나누는 방법 자체에 대해서 경험시키고, 수업나눔이 확산되어 많은 선생님들이 수업을 통해 성장하게 되는 것은 바람직한 일입니다. 따라서 참관 선생님의 숫자가 많은 경우, 모두를 이 과정을 경험시킴과 동시에 수업자의 성찰을 도울 수 있어야 합니다. 이를 위해 참관선생님을 모둠으로 구성하는 것이 좋습니다. 그리고 이야기 나눌 주제를 주고, 모둠별로 이야기 하게 합니다. 이때 진행자는 수업자와 일대일로 같은 주제에 대해 이야기를 나누며 대화의 깊이를 더합니다. 그리고 모둠별로 논의된 이야기를 듣습니다. 이때, 각 의견에 대해 수업자는 반응하지 않는 것이 좋습니다. 대신 모든 모둠의 의견을 들은 후 진행자가 일대일로 이야기한 내용을 바탕으로, 수업자의 성찰을 도와줄만한 내용들만 골라 수업자와 추가적인 대화를 진행하는 것이 좋습니다. 이를 통해 다양한 의견으로 인해 대화가 산만해지는 것을 막고, 선택된 의견들을 통한 추가적인 성찰로 수업자의 사고를 더욱 깊이 있게 만들 수 있습니다. 또한 일대일로 대화하던 중 세우게 되는 가설을 보다 확신하게 하거나 배제할 수 있게 됩니다. 진행자와 수업자가 본 수업의 상황은 일부일 수밖에 없고, 그 상황만으로는 학생들의 배움과의 인과관계를 명확히 밝히는 것은 한계가 있을 수밖에 없습니다. 이때, 소수의 학생들만 주의 깊게 관찰한 참관 선생님들의 자료들은 가설의 진위를 보다 명확히 밝히는데 도움이 됩니다.

이런 과정에서 진행자는 수업자의 생각을 깊게 만들고 있는지, 이를 위해 사용한 수업 속 증거는 적합한지를 세심하게 주의를 기울여 살펴야 합니다. 대화를 나누다 보면 수업자는 스스로 샛길로 빠지곤 합니다. 이런 샛길은 분명 수업자에게는 또다른 고민이거나 목표일 수 있습니다. 하지만 하나의 주제를 충분히 성찰하고 넘어가야 합니다. 중요한 다른 길이라고 여겨진다면 메모해 놓고 다시 원래 주제에 대해 보다 깊이 있게 이야기 할 수 있도록 유도해야 합니다.

때론 진행자는 잘못된 응답으로 대화의 방향을 틀어버리기도 합니다. 진행이 주는 압박은 침묵을 견디지 못하게 합니다. 그래서 진행자는 성급히 말을 하거나, 질문에 대한 답이 돌아오기도 전에 새로운 질문을 던지거나, 질문에 추가적인 해석을 과하게 달면서 의도치않게 다른 방향으로 대화를 이끌기도 합니다. 이 대화의 주인공은 수업자가 되어야 함을 생각하면서, 보다 여유로운 마음으로 대화를 나누는 것이 좋습니다. 이러한 여유가 참관선생님들이 공유한 내용에 대해 적절성을 판단하는 데도 도움이 됩니다. 가장 주의해야할 것은 참관 선생님의 개인적 판단이 포함되어 있는 발언인지 확인하는 것입니다. 우리는 무의식중에 판단을 포함하여 이야기 하곤 합니다. 판단과 사실을 구분하지 못한 채 수업자에게 판단이 섞인 내용을 전달해서는 안 됩니다. 만약 판단이 포함되었다고 여겨진다면 판단을 제거하는 번역작업도 필요할 것입니다.

적다 보니 진행자에게 너무 많은걸 요구하는 것 처럼 보이기도 합니다. 아마 다른 사람이 하나의 생각에 머무르도록 도와주는 일은 쉬운 일이 아니기 때문일 것입니다. 이런 어려움에도 가장 중요한 것은 '지금 나는 수업자의 성장을 돕기 위해 여기에 있다.'는 마음가짐입니다. 이 진심이 수업자에게 그리고 참관 선생님에게 전달된다면 다소 실수가 있거나 미흡하더라도 충분히 서로에게 도움이 되는 시간이 될 것입니다.

목표에 부합하는 장면부터 시작하세요.

수업공개를 하기로 마음먹으면, 수업하기 몇일 전부터 신경이 많이 쓰입니다. 괜히 한다고 한 건 아닌지 후회도 하고, 시간을 되돌리고 싶다는 생각을 하기도 하죠. 교사에게 수업을 공개하는 것은 정말 쉽지 않은 일입니다. 그만큼 수업을 중요하게 생각하고 있다는 증거이기도 합니다.

이러한 어려움에도 수업을 공개하여 우리에게 배움의 기회를 제공해주는 수업자 선생님은 너무나 소중한 존재입니다. 감사의 마음을 가지고 수업을 함께 나누었으면 좋겠습니다. 수업을 나누는 협의회의 시간은 참관하는 선생님의 지식과 경험을 자랑하는 자리가 결코 아닙니다. 수업자 선생님이 스스로 수업을 되돌아보고, 성찰하는 기회를 갖는 자리 입니다.

우리가 수업을 준비할 때도 학생들에게 어떤 경험을 어떤 순서로 전달해야 우리의 수업 목표가 학생들에게 성취될 가능성이 큰지 고민했습니다. 마찬가지로 수업을 나누는 협의회에서 교사가 성찰을 통해 성장할 수 있도록 돕기 위해, 어떤 경험들을 어떤 순서로 배치하는 것이 좋을까 고민해야 합니다. 따라서 그 순서에 정답은 없습니다. 수업자와 진행자의 관계, 협의회 참석 인원 수, 참관 선생님들의 수업 나눔의 경험, 협의회에 허용된 시간 등을 고려하여 적절하게 구성하면 됩니다.

그럼에도 수업을 함께 나누는 일이 익숙하지 않다면 수업 속에서 교사의 목표에 부합하는 장면들을 먼저 공유하는 것을 추천합니다. 교사의 의도에 비추어 수업을 바라보는 연습의 기회가 되고, 수업자에게도 비교적 부담없이 대화를 나눌 수 있는 주제이기 때문입니다. 따라서 진행자도 선생님들의 발언을 번역하여 수업자에게 전달하는 중간역할을 수행할 일도 줄어들어, 진행을 연습하기에도 도움이 됩니다.

참관 선생님의 숫자가 아주 적지 않다면(5명 이하) 참관선생님들을 3-4인을 한 모둠으로 편성하면 좋습니다. 모둠으로 진행해야 참관한 선생님들의 발언 기회도 많아지고, 수업자에게 직접 전달되지 않으니 보다 편안하게 발언할 수 있습니다. 또한 조금 더 수업 나눔의 경험이 있는 선생님들이 모둠 안에서 나온 내용들을 공유할 때, 적절히 번역하여 전달하면 보다 협의회를 원활하게 만들 수도 있습니다.

교사의 의도에 부합하는 장면들은 단순히 수업자를 칭찬하는 일이 아닙니다. 수업자에게 배움이 일어날 수 있어야 합니다. 교사의 의도에 부합되어 잘 수행된 장면 속에서 교사가 알지 못한 촉진 요인들을 발견해 주어야 합니다. 또는 학생들의 경험을 면밀히 관찰하여 수업자가 사전에 예상하지 못했지만 의미 있었던 학생들의 반응을 찾아 줄 수도 있습니다. 때론, 교사의 기대보다 좋은 경험들이 학생들에게 경험되기도 합니다. 그러한 경험은 왜, 어떻게 일어났는지 확인해 주는 것도 수업자의 성장에 도움이 될 수 있습니다.

그리고 놓치기 쉬운 부분은 학생들이 결과적으론 실패했을 때입니다. 학생들이 비록 실패하였더라도 과정에서 교사의 의도가 충분히 진행된 경우도 있습니다. 교사의 역할은 학생을 결과에 모두 도달하게 하는 것이 아닙니다. 학생이 결과에 도달할 수 있는 가장 최적의 경험을 제공하는 것이 교사의 역할입니다. 따라서 학생들이 목표에 도달하지 못하였더라도 학생들이 경험을 진행했다면 이는 수업자의 수업 목표를 달성했다고 볼 수 있습니다. 다만 이 경우는 추가적인 고민이 필요합니다. 학생들이 수업자가 의도한 경험을 수행했음에도 배움의 목표를 달성하지 못한 경우 그 원인에 대해 생각해 볼 필요가 있습니다. 이때, 쉽게 생각하거나 쉽게 도출되는 원인은 학생의 개인적 특성인 경우가 많습니다. 기초학력이 부족하거나, 원래 잘 안 하는 학생이라는 평가를 내리는 것처럼 학생의 기존 역량을 문제 삼는 경우입니다. 하지만 이런 평가는 실제 교사의 성장에 도움이 되지 않습니다. 우리는 그 원인을 명확히 찾아야 합니다.

제가 좋아하는 영화 중에 '지상의 별처럼'이라는 영화가 있습니다. 학교에서 수업 방해, 학습 능력이 부족하다는 평가를 받으며 초등학교 3학년에서 낙제한 이샨은 전학을 가게 됩니다. 전학간 학교에서 새로운 선생님(아미르 칸)을 만나고, 이 선생님은 부모님을 찾아와 이샨의 문제가 뭐라고 생각하는지 묻습니다.

선생님 : 이샨의 문제가 뭐라고 생각하세요?

아버지 : 문제요? 그의 태도가 문제죠. 다른 뭐가 있겠어요? 공부, 생활 모두다요. 장난이 심하고, 반항적이죠. 한마디도 듣질 않아요.

선생님 : 저는 아이의 문제에 대해 묻고 있는데, 아이의 증상에 대해 말씀하시네요. 당신은 지금 아이가 열이 나고 있다고 말씀하고 계신건 저도 알아요. 하지만 그 열은 반드시 원인이 있어요. 그 원인이 뭐죠?

우리도 보통 이샨의 아버지처럼 대답하곤 합니다. 왜 그러한 결과가 나타났는지가 아닌 눈으로 쉽게 확인 가능한 증상만을 말하는 경우가 많죠. 증상이 나타나게 된 진짜 원인을 찾아야 문제는 해결되는 것입니다. 단순히 증상을 가라앉히기 위해서, 화를 내거나, 상벌점을 이용하는 것은 상처를 안에서 더욱 곪게 만드는 일입니다. 이샨의 선생님은 다음과 같이 이샨의 증상에 대한 원인을 이야기합니다.

> 선생님 : 이샨의 실수에서 패턴을 발견하지 못했나요? 계속해서 반복하는 것들. (이샨의 공책을 보여주며) 'D' 대신에 'B' 그리고 'B' 대신에 'D', 비슷해 보이는 철자를 혼동하고 있어요…

이샨의 선생님은 이샨을 자세히 보았습니다. 그리고 그 속에서 이샨이 수업을 참여하지 못 하는 원인을 발견했습니다. 우리도 최대한 학생들을 자세히 보아야 합니다. 자세히 본다는 것은 표면적 행동만을 보는 것이 아닙니다. 행동의 원인을 파악하려는 노력과 함께 보아야 합니다.

이샨은 난독증이라는 조금 개인적 특성에 기인한 것이었지만, 참관하면서 만나는 학생들이 겪는 어려움은 비단 한 학생에게만 나타나는 경우가 아닐 가능성이 많습니다. 비슷한 오류나 실수를 범하는 학생들이 분명 교실에는 여럿 존재합니다.

제곱근의 근사값을 계산기로 찾아보는 수업 중에 있었던 일입니다. 이를 찾기 위해서는 소수점이 포함된 수를 제곱하여 그 크기를 비교하는 경험이 필요했습니다. 학생들은 대부분 교사의 의도에 맞게 교사가 제시한 경험을 충분히 진행하는 듯 보였습니다. 그런데 비슷한 유형의 오답이 여러 학생에게 발견되는 것이 확인되었습니다. 중간의 모든 과정들을 충분히 수행했음에도 꼭 특정 과제에서 결론을 틀리게 내고 있었습니다. 원인이 궁금했습니다. 학생들이 어떻게 계산하고 있는지, 학습지에 끄적여 있는 계산 과정을 살펴보았습니다. 학생들은 0.3을 제곱한 값을 0.09가 아니 0.9라고 적은 것이 발견되었고, 비슷하게 순환소수 0.33333…의 제곱[3]이 0.99999… 라고 적은 것이 발견되었습니다. 수업자는 수업을 설계할 때에는 이러한 오류가 발생될 것을 미리 예상하지 못했었습니다. 그로 인해 학생들이 교사가 구성한 경험을 충분히 경험했음에도 원하는 결론을 내지 못한 것입니다. 자세히 보지 않았다면, 수업자는 그저 학생을 탓하거나, 이유를 모른채 자신을 탓 했을 것입니다. 하지만 원인을 찾게 되었으니 그 해결책을 수업 준비에 포함할 수 있게 됩니다.

이처럼 수업을 나누는 과정에서 수업자에게 새로운 과제를 갖게하는 것이 중요합니다. 단순히 수업에 대한 평가만 있어서는 안됩니다. 수업의 과정이 교사의 성장과정이라면 수업자에게 과제를 도출하게 하는 것은 수업의 과정 중 가장 핵심이라고 볼 수 있습니다. 수업자가 스스로 과제를 부여하고 이 과제를 해결하기를 원하게 된다면, 우리는 이 과제에 대해 함께 논의하고 해결책에 대해 함께 탐구해 줄 수 있습니다. 이때에 한해서 자신의 경험과 지식을 마음껏 공유하실

---

[3] 실제 답은 0.11111… 입니다.

수 있습니다. 이때 전달하는 도움은 수업자의 필요에 의한 것으로 수업자가 순수한 도움으로 받아들일 수 있기 때문입니다. 이 순간이 도래하기까지 하고 싶은 조언이 굴뚝같더라도 잠시 기다리며 수업나눔에 참여하시기 바랍니다.

세심하게 수업자를 살펴야 합니다.

수업자에게 새로운 과제를 도출하는 것이 이 수업의 과정의 핵심이라고 말씀드렸습니다. 그래야만 수업자를 지속적인 성장의 과정에 올려놓을 수 있기 때문입니다. 이러한 과제 도출은 보통 현실과 목표의 괴리를 좁히려는 노력일 가능성이 큽니다. 따라서 참관록에 기입할 두 번째 칸인 '부합하지 못한 장면'은 수업자를 성장시키기에 굉장히 좋은 소재입니다.

하지만, 이를 대화의 소재로 삼는 것은 굉장히 위험합니다. 참관하는 입장에서 '부합하지 못한 장면'을 기록하는 순간은 뭔가 아쉽거나, 잘못되었거나, 부족하거나 등 목표에 부합하지 못한 것 처럼 보이는 장면을 발견한 상황입니다. 아무리 수업자의 의도에 비추어 장면을 바라본다고 하더라도 '부합하지 못한 장면'에 적히게 되는 상황은 참관 선생님이 바라보기에 잘 진행되지 않은 수업 장면인 것입니다. 이 내용을 참관 선생님이 수업자에게 먼저 이야기 한다면 수업자는 자신의 잘못을 지적받는 듯한 인상을 받을 수 있습니다. 아무리 객관적으로 전달하려고 해도 그것은 불가능합니다. 예를 들어 영상으로 해당 장면에 대한 코멘트 없이 보여주는 것도 마찬가지입니다. 그 장면을 선택한 것부터 수업자에게는 잘못된 장면이라고 상대방이 생각한다는 것을 알게 됩니다. 수업자가 방어적 태도를 취하는 순간 더 이상의 성찰은 기대하기 어렵습니다. 따라서 이 내용을 먼저 참관 선생님이 꺼내는 것은 삼가거나 뒤로 미루어야 합니다. 대화를 나누다 보면 그 어떤 이야기도 함께 나눌 수 있는 관계가 되기도 합니다. 따라서 최대한 미뤄두었다 꼭 해야하는 중요한 요소라면 대화의 분위기를 살피며 진행해야 합니다. 관계와 분위기가 적합하지 않다면 오히려 다루지 않는 것이 좋습니다. 지속적으로 함께 수업을 고민하고 나누다 보면 관계는 깊어지고, 신뢰가 쌓입니다. 긴 호흡으로 진정한 친구를 사귀는 마음으로 다음을 기약하면 좋겠습니다.

그럼 어떻게 해야 할까요? 수업자가 스스로 자신의 수업에 대해 이야기 하도록 해야 합니다. 교사는 언제나 자신의 수업에서 아쉬운 부분이 존재하기 마련입니다. 수업자에게 아쉬운 부분, 자신의 목표에 부합하지 못한 장면들을 본인의 입으로 이야기하게 만드는 것이 중요합니다. 참관 선생님이 이야기하고 싶었던 장면이 수업자가 이야기하는 장면과 동일하더라도, 말하는 순서에 따라 수업자가 느끼는 감정은 전혀 다릅니다.

진행자는 수업자의 발언의 깊이를 더해주어야 합니다. 목표에 부합하지 못한 장면을 여러 개 꼽았다면, 기록해두고 하나씩 차례대로 충분히 다뤄야 합니다. 시간 여건상 다 다루기 힘들 수도 있으니 적절히 우선순위를 배분하고, 모든 주제를 다 다룬다는 생각보다 하나라도 제대로 깊이 있게 다룬다는 생각으로 접근하면 좋습니다.

수업자에게 목표에 부합하지 못한 장면을 물어보면, 영화 '지상의 별처럼'의 이샨 아버지처럼 증상에 대한 이야기를 하게 됩니다. '학생들이 이런 모습을 보였다.'와 같은 형태로 답합니다. 이때 진행자는 수업자가 해당 장면에서 기대하던 목표가 무엇이었는지 명확하게 밝히는 것으로 대화를 시작하는 것이 좋습니다. 수업자는 '무엇을 기대'했기에 자신의 의도에 부합하지 못했다고 여겼는지, 목표와 현실의 괴리를 먼저 확실히 해 두어야 합니다. 목표가 분명치 않으면 대화가 길을 잃기 쉽기 때문입니다. 대화를 깊이 있게 하려다 보면 때론 이런 저런 이야기가 섞여, 대화가 잘 진행되고 있는 것인지 헷갈릴 때가 많습니다. 이때, 지금 나누는 대화가 교사가 기대하는 목표로 나아가는 대화인지 끊임없이 반추해 보아야 합니다.

목표가 분명해지면 그 목표를 이룬 다른 장면들을 공유하면 수업자가 보다 편안하게 해당 주제에 대해 대화나누는 데 도움이 됩니다. 교사의 목표가 실제로 어떻게 교실에서 구현되어야 하는지 확인할 수 있고, 현재 교사의 목표에 부합하지 않은 장면을 해결하기 위한 실마리가 될 수도 있습니다.

대화의 준비가 어느 정도 되었다면 이제 원인을 찾아봐야 합니다. 이 원인은 수업자 자체와 수업자가 구성하는 교실 환경, 수업자가 학생들에게 제시한 학습자료, 수업자가 사용한 언행 등 추후에 수업자가 주체가 되어 변화를 꾀할 수 있는 것이어야 합니다. 그래야 변화가 가능합니다. 하지만 이처럼 원인을 수업자가 제어 가능한 것으로 한정하면 원인을 드러내는 일이 수업자에게 상당한 부담으로 다가올 수 있습니다. 받아들이기에 따라 자칫 문제의 원인이 수업자인 것처럼 여겨질 수 있기 때문입니다. 더욱이 원인을 찾는 일은 증상처럼 객관적으로 보이는 것만을 말하는 것이 아닌 화자의 가설이 포함될 수밖에 없습니다. 이는 수업이나 수업자에 대한 평가처럼 전달될 수 있어 보다 세심하게 수업자를 살피며 대화를 진행해 나가야 합니다. 그러면서 수업자가 목표에 부합되지 못한 장면들의 원인을 마주할 수 있도록 도와야 합니다. 그러려면 제시된 원인이 수업자에게 납득가능해야 합니다. 그래야만 가설을 수용하고 성찰하며 앞으로 나아갈 수 있습니다. 이러한 가설에 힘을 보태기 위해 앞에서 수업을 참관하는 방법에서 참관록에 최대한 많이 적어주기를 부탁드렸습니다. 하나의 가설을 뒷받침하는 여러 사례들이 나온다면 그 가설은 수업자도 받아들이고 변화를 모색할 가능성이 커집니다.

예를 들어, 수업자가 학생을 발표시키는 데, '선생님은 영수가 한 내용이 참 마음에 들었어. 영수가 공유해 줄 수 있겠니?'라는 발언을 보며, '마음에 든다.'는 표현이 '학생들이 정답만 발표가능 하다는 생각을 갖게 만들진 않았을까?'라는 가설을 세우고 수업자에게 이야기합니다. 이럴 경우, 너무 확대해석 하는 느낌이 들며, 좋은 의도로 한 자신의 행동이 비판받는 것 같은 느낌을 받을 수 있습니다. 하지만 실제 수업에서 칠판에 나와 발표하는 총 3번의 발표 기회에서 수업자는 '마음에 드는' 이라는 표현을 모두 사용하며 발표자를 선정하였습니다. 그리고 세 번째 발표자가 첫 번째 발표했던 영수가 다시 선정되자, 한 학생이 '영수는 아까도 발표 했었는데…'라는 불만섞인 혼잣말을 하는게 목격됩니다. 이처럼 여러 증거들은 수업자가 발표자를 선정할 때, 평가가 포함된 발언을 함으로써, 학생들에게 발표자의 선정은 교사의 인정이라는 생각을 갖게 만들어 적극적으로 발표하려 들지 않는 교실 문화를 만든 것은 아닌지 생각해 볼 수 있게 됩니다. 이러한 과정에서 원인에 대해 수업자가 동의하게 된다면, 이 원인을 해결하기 위한 방법들을 모색할 수 있는 기회가 생기는 것입니다.

여러 증거들과 합리적 가설이 존재하더라도 수업자는 불편할 수 있습니다. 따라서 섬세하게 수업자의 감정을 읽고 따라가야 합니다. 동시에 진행자도 진행하는 도중 스스로를 돌아봐야 합니다. 수업자가 마음을 닫는 이유는 절대 수업자에게 있지 않습니다. 만약 마음이 닫히는 순간이 있다면, 그 순간을 기억해야 합니다. 나의 어떤 언행이 수업자를 불편하게 만들었는지, 그 원인을 자신에게 찾아야 합니다. 이러한 태도를 가지는 것은 자신의 성장뿐만 아니라 상대 수업자의 선생님에게도 '이 진행자는 정말 나를 위해 이 자리에 있구나.'라는 생각이 들게 만들어, 다시금 대화의 문을 열고 나올 수 있도록 도울 것입니다.

과제는 학생 경험을 선정하는 일입니다.

수업의 과정은 교사의 성장 과정입니다. 수업을 준비하고, 실행하고, 나누며 종료되는 것이 아닙니다. 나누는 과정에서 새로운 과제를 설정하여 그 과제를 해결하기 위한 수업을 준비하고, 실행하고, 나누어야 합니다. 즉, 이러한 과정을 반복적으로 진행하며 지속적인 성장을 추구해야 합니다. 이러한 수업을 하는 교사는 현재 수업의 결과가 불만족스럽더라도 좋은 수업을 하고 있는 것입니다. 그리고 더 좋은 수업을 하는 교사가 될 것입니다.

따라서 수업을 나누며 적어도 하나의 과제는 선정하는 게 좋습니다. 앞서 예를 들었던, 발표자 선정 상황에 과제를 설정해 보도록 하겠습니다. 잠시 시간을 가지고 생각해 보시길 바랍니다. 수업자에게 부여할 과제로 무엇이 떠오르십니까?

'학생들이 적극적으로 공유 과정에 참여시키는 방법', '평가 없이 객관적으로 발표자를 선정하는 방법'과 같은 '방법'에 관한 이야기가 떠오르실 겁니다. 이런 방법들도 교사에게 충분한 과제를 부여하는 일이 될 수 있고, 후속 수업에서 변화를 시도할 수 있도록 도울 수 있습니다. 하지만 저는 '방법'보다는 '학생의 경험'으로 과제를 설정하길 추천드립니다.

'학생들이 적극적으로 공유 과정에 참여시키는 방법'을 떠올리게 되면 방법에 초점이 맞춰져, 학생이 중심이 아닌 방법론에 치중하게 될 가능성이 큽니다. 예를 들어, 쉽게 떠올리는 방법으로 상벌점을 운영하거나, 칭찬을 많이 해주기 등의 방법을 떠올리곤 합니다. 이러한 방법은 주체가 교사이거나, 혹은 학생에게 특정 행동을 요구하는 형태일 가능성이 큽니다. 즉, 학생을 다소 수동적인 입장에서 고려하게 됩니다. 반면에 '학생의 경험'을 중심에 두면 학생들의 입장에서 생각하고, 내적 동기를 통해 진정으로 변화할 수 있는 방안에 대한 고민이 가능해집니다. 예를 들어 우리는 '학생들이 수업에서 적극적으로 참여하게 되려면 어떤 경험들이 누적되어야 가능한가?'를 고민할 것입니다. 그리고 그러한 경험을 수업에서 교사는 어떻게 구현해야 하는지 찾을 것입니다. 차이가 느껴지시나요? 비슷해 보일 수 있으나 전혀 다릅니다. 전자는 교사가 학생을 원하는 대로 만들고자 하는 것이고, 후자는 학생이 스스로 자신을 변화시키길 기대하는 것입니다. 전자의 효과는 대게 짧고 강하며, 후자는 느립니다. 그리고 그 속도를 교사는 때론 참지 못하고 중간에 포기하게 될 수도 있습니다. 하지만 변화가 시작되면 이는 오래 지속됩니다. 학생 역시 한 단계 성장한 것이기 때문입니다.

수업은 사실 학생을 위한 일입니다. 하지만 기존의 수업을 잘하고자 노력했던 모습은 어찌보면 교사를 위한 일이었는지도 모르겠습니다. 내가 원하는 대로 학생들을 잘 조정하기 위한 방법에 대해 고민하고 있었던 것은 아닌지 생각해 보게 됩니다. 저는 진정한 배움은 자발성에 기초한다고 믿습니다. 대부분 외적 동기밖에 존재하지 않는 이 시대의 학생들에게, 조금이나마 내적 동기로 움직일 수 있는 사람이 되도록, 더 많은 경험들이 고민되고 구성되어지기를 희망합니다.

학생 경험 구성 방안은 함께 찾아주세요.

수업자가 학생들에게 필요한 경험을 선정하는데까지 함께 왔다면, 서로 도움을 주고 받는 것을 자연스럽게 받아들일 수 있는 관계에 도달했으리라 생각합니다. 이제 여러 방안들을 함께 떠올려볼 시간입니다. 다양한 생각들을 펼쳐놓아도 좋습니다. 그 어떤 아이디어라도 상관 없습니다. 어차피 선택은 수업자의 몫입니다. 실제로 이후에 수업을 진행하며 자신의 과제를 점검할 수업자가 보기에 가장 적합해 보이는 한두 가지 방법만 적용하게 될 것입니다. 따라서 자신의 아이디어를 수업자가 선택하지 않더라도 서운해하실 필요는 없습니다. 아이디어를 공유하여 채택되지 않더라도 단순히 버려지는 것이 아닙니다. 서로의 이야기가 공유되며 새로운 아이디어를 떠올리는 징검다리 역할을 하기도 하고, 다른 과제를 해결할 때 문득 재사용 될 수도 있습니다.

그럼에도 자신의 아이디어가 수업자에게 채택되기를 바라시나요? 그렇다면 수업자의 목표를 생각해 보시기 바랍니다. 수업자는 어떤 선생님이 되고 싶은지, 수업자가 바라는 수업의 모습은 어떠한지, 수업자는 학생들의 배움을 어떻게 여기는지 등을 생각하며 그러한 모습을 구현하는데 도움이 되는 방법들을 제안해 주면 좋습니다.

만약 수업자가 선택한 방법이 수업자가 원하는 수업의 모습을 저해할 위험이 있다는 생각이 들 수도 있습니다. 이제는 과감히 이야기해도 됩니다. '선생님의 이러이러한 목표에 선생님이 선택하신 방법은 어울리지 않는 것 같아요.'라며 목표를 상기시켜 주어야 합니다. 그러면 수업자 스스로 다시 한번 자신의 목표를 되돌아 보는 기회를 제공할 수 있을 것입니다.

실제 자신의 목표와 다른 학생 경험을 선정하는 일이 생각보다 자주 발견되곤 합니다. 방법을 탐색하기 시작하면, 잠시 자신의 목표를 중심에 두고 생각하지 않게 됩니다. 화려하거나, 좋아 보이는 것 만으로 선택의 이유가 되어버리기도 합니다. 다른 사람이 효과가 있었다는 이야기가 혹하거나 최신 기술을 사용하는 방법이 멋져보여 선택하기도 합니다. 이럴때 목표를 상기시켜주는 친구가 있어서 다행인 겁니다.

앞서 예로 들었던 '마음에 드는' 표현이 반복된 발표자 선정과정에서 이런 이야기를 나눴습니다.

> 수업자 : 발표자 선정은 랜덤하게 진행된다는 것을 학생들이 인식하게 만드는 게 어떨까요?
>
> 진행자 : 선생님 발표를 시키는 진짜 이유는 뭘까요?
>
> 수업자 : 그 과정이 학생들에게 도움이 되었으면 좋겠어요. 근데 제 수업에서 발표는 정답을 확인하는 것 같아요.
>
> 진행자 : 선생님께서 저랑 수업 준비하실 때, 틀렸지만 의미있는 내용들이 공유되면 좋겠다고 이야기 하셨는데, 그 때 이야기와 관련된 의미인가요?
>
> 수업자 : 네, 발표도 그랬으면 좋겠다는 생각이 들어요. 최종 발표만 시켰는데 그랬더니 학생들도 잘 듣지 않는거 같단 생각도 들고요. 오히려 과제 수행하는 중간 중간에 공유되면 좋을만한 이야기를 발표시키는 게 좋을 거 같아요.

위의 예시처럼 보통 방법을 찾을 때, 지금 나타난 현상을 해결하기 위한 방법에 집중할 가능성이 큽니다. 수업자도 발표시킬 때 평가의 요소를 없애기 위해 임의로 학생을 선정하는 방법을 택할까 고민합니다. 하지만 이는 진짜 해결책으로 느껴지지 않았습니다. 진짜 해결책은 교사가 목표하는 바에 닿아있어야 합니다. 하지만 임의로 학생을 선정하는 방법은 수업의 과정에서 만난 수업자에게 어울리지 않는 방법 같아 보였습니다. 그래서 발표의 본질적인 의미에 대해 물어보며, 자신이 생각하는 발표의 목표, 그리고 자신의 수업 목표를 다시 떠올려 볼 수 있도록 도왔습니다.

수업자는 '친구들의 발표가 나의 배움에 도움이 되는 경험'을 구성하는 것이 필요했던 것입니다. 그렇게 만들기 위해서는 지금처럼 결과를 공유하는 발표는 도움이 되지 못했습니다. 오히려 학생들이 과제를 수행하는 과정에서 나타나는 오류를 공유하고, 오류를 바탕으로 장애물을 뛰어넘을 수 있는 발판을 마련하는 것이 중요하다는 것을 자각합니다

이처럼 증상을 빠르게 해결하려고 하기 보다, 근본적인 해결 방법에 대해 고민하는 것이 필요합니다. 근본적인 해결은 교사의 목표가 실현되는 일이고, 수업에서 목표 실현 가능성을 높이는 것은 오로지 학생의 경험에 달려 있습니다.

Part 4

운영 방법

"늘 새로운 것을 배우고, 새로운 것을 시도하라.
그것은 우리가 성장할 수 있는 유일한 방법이다."

- 헨리 포드

우선 시작하세요.

진행자의 역할이 어렵고 버겁게 느껴졌을지도 모릅니다. 하지만 좋은 수업을 과정의 관점에서 바라보았듯, 좋은 진행도 마찬가지로 진행자 선생님의 성장 과정으로 생각하면 좋겠습니다.

"완벽함은 달성할 수 없지만, 완벽함을 추구한다면 우리는 탁월함을 잡을 수 있다."

- 빈스 롬바르디

따라서 우선 시작해야 합니다. 그러려면 함께 할 선생님을 찾아야 합니다. 아주 친한 친구도 좋고, 자주 만날 수 있는 같은 학교 선생님도 좋고, 외부에서 함께 활동하는 전문적학습공동체 소속 선생님도 좋습니다. 선생님이 먼저 함께 하기를 제안해 보세요.

동료가 생겼다면 동료를 존중해 주어야 합니다. 그런데 존중한다는 것은 무엇일까요? 높이고 귀하게 여긴다는 뜻의 존중은 우리가 자주 사용하고 익숙한 말이지만 명확히 정의내리기란 참 어려운 말인 것 같습니다. 주변에 존중한다고 말하지만 자세히 보면 행동은 그렇지 못한 사람들을 생각보다 쉽게 만날 수 있고, 때론 나는 존중한다 생각하고 상대방을 대했지만, 상대는 그렇게 느끼지 못하기도 합니다. 이처럼 모호해 보이지만 존중은 대화에 꼭 필요한 요소입니다.

비폭력대화에서는 부탁과 강요를 상대방에게 거절당한 순간에야 알 수 있다고 말합니다. 예를 들어,

A : 선생님, 내일 저희 모임 준비 때문에 손이 좀 필요해요. 이따 좀 도와 주실 수 있어요?

B : 죄송해요. 오늘 좀 바빠서요.

와 같이 대화가 이루어졌다고 가정해 봅시다. B의 대답을 듣고 A가 '내일 모임은 B선생님 때문에 하는 건데, 그걸 내가 다 준비하고 있는데, 이걸 안도와 준다고?'와 같은 생각이 들었다면 A선생님은 부탁이 아닌 강요를 한 것입니다. 이는 이미 A선생님이 말하는 순간 B선생님이 도울 것을 예상하고 있었기 때문입니다. 이처럼 상대방이

거절했을 때, 나에게 부정적 감정이 든다면 이는 부탁이 아닌 강요입니다. 진짜 부탁은 그 순간 상대가 내 부탁을 거절할 수밖에 없었던 이유를 찾기 위해 노력하고, 더 나아가 상대가 지금 중요한 욕구를 성취하는 데 도움을 주는 것입니다.

존중도 마찬가지라고 생각합니다. 존중하려고 노력하는 나의 언행이 때론 상대에게 그렇게 느껴지지 않을 수 있습니다. 특히 성찰을 위해 상대방에게 자신의 모습을 직면하게 만들려는 과정에서는 더욱 그렇게 느껴질 위험성이 있습니다. 이때, 진짜 존중하는 사람은 상대의 미묘한 감정의 변화를 읽고, 특히 부정적 언행이나 감정이 느껴진다면, 상대를 이해하려고 노력하는 사람입니다. 그리고 그러한 행동이나 감정에 숨은 목표를 발견하여, 부정적 행동을 목표를 향한 발걸음으로 바꾸어 주는 사람입니다.

말은 결코 온전히 전달될 수 없습니다. 지금껏 살아온 삶이 말에 담겨 있기 때문입니다. 그 누구도 동일한 삶을 살지 않았듯, 그 어떤 표현도 객관적으로 전달하는 것은 불가능합니다. 이러한 차이를 인정하고, 상대를 이해하려고 노력하며 수업 대화를 이어나가시길 바랍니다.

운영 매뉴얼이 있나요?

저는 수업을 통해 성장하려는 다양한 시도들을 실천한 경험이 있습니다. 교직 초기에는 '배움의 공동체' 전문적 학습 공동체에 참여하며 수업을 실천하였고, '아이눈으로 수업보기' 방식으로 수업을 나누는 학교에 옮겨 새로운 수업 협의 방식을 경험하였습니다. 그리고 수업 나눔, 수업 성찰, 수업 코칭의 형태로 진행되는 여러 연수를 받고 이를 실천해 보았습니다. 모두 저에게 성장을 가져다 준 소중한 경험들입니다. 학생들이 어떻게 잘 배우는지 이해하게 되었고, 교실 상황을 객관적으로 바라볼 수 있는 눈을 가지게 되었으며, 성찰을 통해 지속적으로 성장가능한 자아가 만들어졌습니다. 그럼에도 내가 처한 현실에 적용하며 실천할 수 있는 최적의 방법은 찾지 못했습니다. 어쩌면 당연한 일입니다. 위 방법들을 만든 사람들이 처한 환경과 제가 처한 환경은 다를 수밖에 없기 때문입니다. 그래서인지 다른 선생님들과 매뉴얼을 그대로 적용하려는 숱한 시도들은 번번이 실패를 거듭했습니다. 특히 자발적 모임이 아닌, 의무적으로 구성된 학교 내 수업 모임에서는 성공하기가 더욱 어려웠습니다. 그래서 '어떻게 하면 각자의 현실에 맞는 방법을 찾을 수 있을까'에 대한 고민에 이르게 됩니다.

제가 경험한, 좋은 수업을 위한 다양한 시도들의 이면에는 공통점이 있었습니다. '학생에게는 진정한 배움을, 교사에게는 성장'을 모두 목표로 삼았다는 점입니다. 그리고 저도 이러한 목표를 이루기 위한 방법들을 찾기 위해 다양한 시도를 진행합니다. 그리고 그 결과가 지금까지 읽은 책의 내용입니다.

저는 전반적으로 진행자의 역할을 강조했습니다. 어떻게 하면 상대방을 잘 성찰할 수 있게 만들 수 있는가가 관건이었습니다. 이는 사실 매뉴얼로 만들기가 굉장히 어렵습니다. 사람의 상호작용은 매우 복잡하고, 온전히 이해할 수 없기 때문입니다. 매뉴얼에 적힌 멘트가 동일한 효과를 절대 발휘할 수 없습니다. 매뉴얼 보다 중요한 것은 목표를 잃지 않고 수업의 과정에 온전히 참여하는 것입니다. 지금 나의 언행이 나와 상대방 선생님의 성장에 도움이 되고 있는가를 지속적으로 되돌아 보면서, 그렇지 못한 경우는 자신의 언행을 성찰의 대상으로 삼으면서 성장해 가야 합니다.

저는 수업 준비 모임을 하고 나면, 수업 참관과 슈업나눔을 어떻게 해야 할지 매번 새롭게 고민합니다. 수업자가 수업을 어떻게 설계했는지, 참관 선생님은 몇 분이나 함께 하시는지, 참관 선생님들은 같은 학교 소속인지, 동교과 선생님인지 등에 따라 그 운영의 방식이나 강조점이 달라질 수 있기 때문입니다. 그리고 이러한 과정에서 저 역시 배우고 성장하기에 기존의 방법을 그대로 매뉴얼 처럼 적용할 수 없습니다.

그럼에도 상황에 따른 고민을 조금이라도 적어드린다면, 선생님들의 고민의 시간을 조금은 줄여드릴 수 있을 거 같아 몇 가지 운영 방법을 제공해 보겠습니다. 운영 방법은 큰 틀에서 참고만 하시고 선생님의 고민을 녹여 내어 선생님만의 방법으로 진행해 보길 바랍니다.

수업 준비 모임 운영 방법

수업을 공개하고 나누는 건 확실히 부담스러운 일입니다. 그에 비해 수업을 실행하기 전 수업에 대한 대화는 한결 편안합니다. 따라서 처음 수업의 과정에 발을 들이신다면 수업 준비 모임부터 시작해 보는 것을 추천합니다. 수업 준비를 함께 하는 과정에서 수업 공개에 대한 마음이 생기면 그 때 수업을 공개하고 나누어도 늦지 않을 것입니다.

학교내 의무적 수업 공개 및 협의회에 적용

학교에서 수업혁신 관련 업무를 오랜 기간 담당했습니다. 어떻게 하면 형식적인 수업 협의가 아닌 실제 교사의 성장이 뒤따를 수 있을 지 고민이 많았습니다. 그래서 유행하던 다양한 방법들을 학교에 적용해보고, 강사도 불러서 연수도 했습니다. 하지만 모두를 만족시킬 만한 방법이 없었습니다. 여전히 수업공개를 부담스럽게 여기고, 자신의 수업에 대해 이야기 나눈다는 것을 꺼리는 선생님들이 많았습니다. 그럼에도 공개수업을 하고, 참관록을 작성해주기 위한 참관을 하고, 형식적인 협의회를 가지는 일을 하고 싶진 않았습니다. 적어도 함께 수업에 대해 고민하고 소통할 수 있게 되기를 바랐습니다. 그러기 위해선 선생님들에게 적당한 당근이 필요했습니다. 가장 부담스러워 하는 의무적 수업 공개를 선택으로 바꾸고, 대신 수업 준비 모임을 의무적으로 진행하는 것을 제안하였습니다. 의미있는 수업 공유의 경험이 다시금 수업공개와 수업 후 나눔으로 이어질 수 있으리라 믿었기 때문입니다. 그래서 수업 전 모임과 원하는 선생님에 한해 수업 후 수업나눔까지 진행하는 것으로 교내수업 공개 계획을 변경하여 운영하게 됩니다. 이때, 수업자는 다음과 같은 질문에 대한 답변과 이를 토대로 만든 학습자료를 가지고 오도록 하여 대화의 소재를 수업자가 제공할 수 있게 하였습니다.

- 선생님은 어떤 선생님이 되고 싶으신가요?
- 선생님의 과목은 학생들에게 왜 중요한가요?
- 선생님의 수업에서 고민은 무엇인가요?

- 준비하려는 수업에서 학생들이 잘 배우려면 학생들에게 어떤 경험이 필요한가요?

위의 질문들은 상황에 맞추어 추가하거나 수정해도 좋습니다. 단, 수업자 선생님은 위 질문에 대한 답을 먼저 한 후 수업을 위한 학습자료를 만들어야 합니다. 위 질문들은 선생님의 목표를 탐색하고 그러한 목표대로 수업을 진행할 수 있도록 돕기 위한 질문입니다. 따라서 질문에 스스로 먼저 답한 후에, 나의 수업 자료가 그러한 목표에 부합되도록 만들려는 노력을 진행해 보아야 합니다. 이러한 시간을 확보하려면 미리 위 내용을 질문지 양식으로 만들어 보내주는 것이 좋습니다. 이때, 다시 한번 질문지에 답을 먼저 한 후 학습자료를 구성해야 함을 상기시켜주어야 합니다. 그렇지 않은 경우 대부분 작성된 학습자료를 토대로 질문에 답하게 됩니다. 이 경우 자신의 진짜 목표가 아닌 학습자료의 최종 종착지점이 목표로 설정될 가능성이 큽니다. 그러한 목표는 지엽적일 수 있고, 교사가 추구하는 목표와 일치하지 않을 수도 있습니다. 목표가 잘못 설정되면 교사의 목표에 비추어 수업 준비를 함께 하려는 이 과정이 무의미해지게 됩니다. 혹은 목표탐색을 위한 추가적인 시간이 필요하고, 새로운 목표는 새로운 학습자료가 적합할 수밖에 없기에 수업에 대한 전체적인 설계부터 새롭게 진행되어야 합니다. 따라서 수업자가 질문을 통해 스스로 목표를 분명하게 만드는 것은 중요합니다. 어렵다면 사전에 만나 대화를 통해 답변을 작성하는데 도움을 주거나, 수업 준비 모임을 위 질문에 대한 답변을 공유하고 수업의 방향만을 설정하는 것을 목표로 두고 진행하는 것도 대안이 될 수 있습니다.

다 같이 모여 수업 준비 모임이 시작됩니다. 기본적으로 수업하실 선생님은 질문지에 대한 답변과 학습자료를 가지고 모임에 참석합니다. 하지만 때론 수업자료가 준비되지 않거나, 질문에 대한 답변을 이야기하는 도중 수업자료가 일치하지 않는 경우가 있을 수 있습니다. 이 경우 질문에 대한 대화를 깊이 있게 진행하고 수업자료에 대한 이야기를 생략하는 것도 좋은 방법이 될 수 있습니다. 처음부터 자신의 목표와 그 목표를 실현시킬 수 있는 학습자료를 익맥상통하게 만드는 것은 쉬운 일이 아니기 때문입니다. 모두가 차츰차츰 익숙해지길 기대하며 천천히 진행해 나가면 좋습니다. 자유롭게 임의로 대화를 나누기보다 진행자가 존재하는 것이 좋습니다. 모임의 목적이 수업자의 성찰이기에 수업자를 주인공으로 만들고 수업자가 깊이 있는 고민을 할 수 있게 도와주어야 하기 때문입니다. 그래서 전체적인 흐름은 진행자가 질문하고 수업자는 답변합니다. 이때 수업자의 답변은 두루뭉술한 경우가 많습니다. 명확하게 전달 될 수 있도록 추가적인 질문으로 깊이를 더해주면 좋습니다. 참여하는 선생님들도 명확해지도록 궁금한 점을 물어볼 수 있습니다. 이때, 개인적 판단이나 평가가 포함될 수 있으니 이런 경우 진행자가 적절히 번역하여 수업자에게 다시 질문해 주면 좋습니다.

질문지에 대해 대화를 나누는 과정은 수업자에 대한 이해를 자연스럽게 높이게 됩니다. 같은 학교에 근무하고, 심지어 같은 학년의 같은 과목을 수업하고 있더라도 다른 선생님이 어떤 목표를 가지고 수업에 임하는지 알기 어렵습니다. 이런 현실에서 수업에 대해 이야기 나누는 것은 자연스럽게 소통을 돕게 되고, 관계의 벽을 허물 수 있습니다. 이로 인한 부수적인 효과는 수업 뿐만 아닌 학교생활에 유익한 영향을 미칠 수 있습니다. 수업의 과정의 전부를 경험하기에 어렵다면 이 과정이라도 실천하길 추천합니다.

질문에 대한 응답이 끝나면 수업자에게 학습자료를 바탕으로 수업의 흐름을 설명해주길 부탁합니다. 그리고 다른 선생님들은 학생의 입장으로 듣습니다. 수업자가 질문에 답한 학생의 경험이 실제로 일어날 것 같은지 생각하며 수업의 흐름을 듣습니다. 그리고 수업자의 설명대로 수업이 진행되었을 때, 교사의 목표들이 실현될 수 있는지도 고려합니다.

수업자의 설명이 끝나면 위의 내용들을 함께 공유합니다. 단, 개인적 가치판단에 의해서 이야기하는 것이 아닌, 수업자의 목표와 학생에게 기대하는 경험에 비추어 이야기 해야 합니다.

학교 내에서 진행할 경우, 아주 작은 학교인 경우 모든 선생님이, 일반적으로는 학년단위 혹은 같은 교과, 교과군 단위의 선생님이 함께 진행하는 것이 좋습니다. 학교의 상황에 따라서 구성하되 그 인원이 5명은 넘지 않게 그룹지어지면 좋습니다.

동교과가 아니어도 괜찮나요?

동교과가 가지는 장점은 분명 큽니다. 하지만 지식이나 정보를 제공하기 위한 목적이 아닌 성찰을 돕기 위한 자리입니다. 따라서 교과지식이 많은 사람보다 오히려 경청하고 존중할 줄 아는 사람이 함께하기 적합합니다. 특히 수업을 준비하는 과정에서는 학생의 입장에서 수업을 바라봐 줘야 합니다. 이때, 타교과 선생님의 장점이 부각될 수 있습니다. 동교과 선생님들은 해당 지식이 잘 구조화 되어 있어, 논리적이고 잘 구조화된 설명이 쉽게 받아들여집니다. 하지만 학생이나 타교과 선생님은 그렇지 않습니다. 배움의 도중에 머릿속에서 새롭게 구조화되어야 하기에 어떤 부분에서 학생들이 어려움을 겪을지, 실제 교사가 원하는 경험이 진행될지 여부에 대해 판단하는데 유리할 수 있습니다.

이렇게 타교과와의 수업협의까지 열어두는 이유는 시작하는 것이 무엇보다 중요하기 때문입니다. 서로 만나서 대화를 나누고, 그를 위해 자료를 준비하는 것은 상당한 시간과 노력을 기울여야 하는 일입니다. 동교과가 아니더라도 친밀감도 있고, 시간도 맞추기 유리한 선생님들과 먼저 시작해 보셨으면 좋겠습니다. 수업을 통해 자신의 목표를 세우고 그 목표를 위해 한 걸음 한걸음 옮기는 일을.

2차례 이상 모임을 가질 수 있는 경우

여러차례 수업 준비 모임을 진행하며 수업을 교사의 목표에 부합되도록 만드는 것은 좋은 경험이 될 수 있습니다. 이 경우 처음 모임은 학습 자료의 초안 없이 만나는 것을 추천합니다. 학생의 경험이 제대로 선정되지 않은채 학습자료를 만들어 온다면, 학습자료의 상당부분을 변경해야할 수도 있기 때문이고 자료가 구체적일수록 대화를 통해 변화를 이야기하는 것은 부담스러운 일이 되기 때문입니다. 따라서 수업할 단원, 혹은 성취기준 정도만 정하고 함께 모인 후 학생들에게 기대하는 경험만을 선정하는 것이 좋습니다. 시간이 허락한다면 함께 기대하는 경험을 수업 자료로 구체화해 볼 수도 있겠습니다. 그리고 수업자는 다음 모임까지 수업자료의 초안을 개발합니다. 이를 가지고 다시 모여 수업자가 만든 수업자료가 수업자의 목표실현에 적합한지, 학생들에게 기대하는 경험을 끌어내기에 충분한지에 대해 의견을 나눕니다. 이를 토대로 수업자는 수업자료를 수정합니다. 이러한 과정은 교사가 수업 자료를 개발할 때, 자신의 목표에 부합하게 만들 수 있는 역량을 키울 수 있습니다.

참여 인원이 많은 경우는 어떻게 하나요?

수업 준비 모임은 인원이 많다고 효율적이진 않습니다. 새로운 정보나 수업 기술 등을 도출해 내기 위한 자리가 아니기 때문입니다. 오히려 여러 사람들의 발언은 수업자의 생각을 깊이 있게 하는데 방해될 수 있습니다. 폭 넓게 생각하기 보다, 본인의 목표를 깊이 있게 탐구하는 과정이 되어야 합니다. 따라서 인원이 많다면 4인 내외의 모둠으로 나누어 각자 모둠에서 수업자를 두고 수업 준비를 진행하는 것을 추천합니다. 그리고 최종 결과를 공유하며 목표에 맞추어 수업 설계가 진행되고 있는지 확인해주시면 됩니다. 만약 동일한 단원의 수업에 대해 서로 다른 선생님의 수업의 전개 방식을 살펴보게 된다면 교사의 목표에 따른 수업의 구현이 어떻게 이루어지는지 비교할 수 있게 되어 수업의 과정을 이해하는데 도움이 될 것입니다.

수업전 안내 운영 방법

보통 공개수업 전에는 등록부를 작성하기 위한 짧은 준비 시간만이 확보된 경우가 많습니다. 하지만 수업 전에 충분히 교사의 수업 의도가 전달되고, 수업 참관 방법에 대한 안내가 진행될 필요가 있습니다. 따라서 최대한 시간을 확보할 수 있도록 하고, 그렇지 못한 경우, 참관 안내사항을 문서로 작성하여 수업 참관을 위한 자료 맨 앞에 부착해야 합니다. 참관록은 앞서 안내해 드린 다음과 같은 형태의 참관록을 사용하는 것으로 간주하겠습니다. 참관록의 앞 3열은 미리 작성되어 있어야 하며, 참관 선생님이 작성할 부분은 음영 처리된 부분입니다.

교사의 목표	목표실현을 위한 교사의 노력	학생들에게 필요한 경험	부합한 장면	부합하지 못한 장면

이때, 다음과 같은 안내문을 사용하실 수 있습니다.

수업 참관 안내문

1. 참관록을 읽지 못했다면 수업이 시작했더라도 참관록을 꼼꼼히 읽어보아야 합니다. 오늘의 수업나눔은 참관하는 선생님의 시각으로 수업을 평가하기 위한 자리가 아닙니다. 수업자 선생님이 목표한 수업과 실제 수업을 비교하며 성찰하기 위한 자리입니다. 따라서 수업자 선생님의 입장에서 수업을 바라보기 위해 노력해 주시기 바랍니다.

2. 교사가 의도한 경험을 학생들이 실제 경험하는지 확인해야 합니다. 따라서 학생가까운 위치에서 발언 뿐만 아니라 행동 및 표정 등 모든 반응을 살펴야 합니다. 단, 수업에 개입하거나 학생들과 대화를 나누어서는 안됩니다. 간혹 질문하는 학생들이 있으나 무대응으로 관찰자의 태도를 유지해야 합니다.

3. 교사가 무엇을 어떻게 했는지, 그 행위 자체는 중요하지 않습니다. 그 행위가 배워야 할 주체인 학생에게 유의미한 영향을 미치고 있을 때 중요해집니다. 따라서 시선은 교사보다 학생에게 많이 머물러야 하며, 교사의 행위와 학생의 반응의 인과관계를 주의 깊게 살펴보아야 합니다. 추가로 교사뿐만 아닌 수업속에서 교사가 계획적으로 구성한 여러 요인(자리배치, 학습자료, 수업의 흐름, 교실 환경 등)과 학생들의 반응 사이의 관계도 함께 살펴야 합니다.

4. 수업 속 장면들을 기록할 때, 평가가 아닌 수업 상황을 최대한 객관적으로 묘사하며 적어주시기 바랍니다. 우리는 하나의 단편적인 수업 장면으로 평가하거나 판단하지 않을 것입니다. 수업에서 다양한 증거들을 함께 모으고, 이를 토대로 좀 더 진실에 가까운 주장을 통해 교사가 스스로 성찰할 수 있도록 도울 것입니다. 증거는 객관적 사실만 인정됨을 생각하시면서 작성 부탁드립니다.

짧은 수업전 안내 시간이 확보된 경우

짧더라도 수업 참관 전에 모두 모일 시간을 마련한 경우도 있습니다. 이때, 수업 참관문에 적힌 내용에 대한 안내와 더불어, 참관록을 함께 보며 오늘 수업의 목표와 목표를 이루기 위한 교사의 노력을 안내할 수 있습니다. 시간이 넉넉하지 않기에 참관록의 목표, 교사의 노력, 기대하는 학생의 경험들을 읽으며 부연설명을 통해 참관 선생님들에게 보다 구체적이고 명확하게 전달될 수 있도록 합니다.

충분한 시간이 확보된 경우

사실 충분히 이야기 나누어, 수업자의 시선을 가지고 수업을 참관할 수 있다면 가장 이상적일 것입니다. 하지만 학교에서 그러한 시간을 확보하는 것은 여간 쉬운 일이 아닙니다. 만약 현실적인 어려움으로 수업 앞뒤로 모두 충분한 시간을 확보하기 어렵고, 수업을 함께 나누는 일이 생소하다면, 수업 후 나눔을 과감히 생략하고 수업 전에 넉넉한 시간을 확보하는 방법도 고려해 보시길 바랍니다. 운영함에 있어 수업 후 나눔은 여러모로 어려움이 많이 발생할 수 있고, 이러한 어려움의 해결책 중 하나가 수업 전 나눔에서 획득할 수 있는 '수업자를 이해하는 능력'이기 때문입니다.

수업 전 나눔의 시간이 충분히 확보 되었다면 다음과 같이 진행할 수 있습니다.

1. 수업자에 대한 이해
2. 참관록을 통한 수업에 대한 이해
3. 전체 수업 흐름에 대한 이해

1. 수업자에 대한 이해

먼저 수업자에 대한 이해가 필요합니다. 수업자가 어떤 교사인지 아는 것은 수업자의 수업을 주제로 대화를 나누는 데 있어서 매우 중요합니다. 다음과 같은 질문들을 통해서 수업자와 이야기 나누어 수업자를 모두가 함께 이해해 보는 시간을 가집니다.

- 선생님은 어떤 수업을 하고 싶으신가요?
- 선생님은 선생님의 과목이 왜 중요하다고 생각하시나요?
- 선생님은 수업에서 어떤 고민을 가지고 계신가요?
- 오늘 수업하는 학급에서만 갖는 고민도 있나요?

추상적인 질문들은 추상적인 답변이 나오기 마련입니다. 하지만 답변이 추상적이면 듣는 사람은 해석의 여지가 커집니다. 다 각자 나름대로의 해석으로 동일한 답변이었음에도 모두 다른 뜻으로 이해하게 됩니다. 따라서 진행자는 보다 명확하고 구체적으로 설명해주길 부탁해야 합니다. '좀 더 자세히 설명해 주시겠어요?', '~의 의미는 무엇인가요?', '예를 들어 주실 수 있나요?' 등과 같은 질문을 통해 수업자의 발언이 모두에게 비슷한 의미로 해석이 가능하게 될 정도로 물어봐 주어야 합니다. 그래도 부족하다면 참관 선생님들에게 추가적인 관련 질문을 받아 보는 것도 좋습니다.

수업자를 이해하고 수업자의 목표를 아는 것은 수업을 잘 보기 위해서 뿐만 아니라 잘 나누기 위해서도 매우 중요합니다. 수업의 과정이 교사의 성찰과 성장의 과정이라면, 때론 자신의 수업에 대해 직면하는 것이 필요합니다. 하지만 이러한 직면의 순간은 자신이 틀렸다는 이야기로 들릴 수도 있습니다. 이러한 경험이 수업을 공개하는 것을 불편하게 만들었고, 그러다보니 어느 순간 수업 후 협의회는 형식적인 칭찬만 남게 되었습니다.

그러나 틀렸다고 이야기 할 수 있어야 합니다. 그래야 수업자는 자신의 모습을 직면할 수 있습니다. 다만 틀림을 판단하는 잣대가 참관자의 잣대여서는 안 됩니다. 수업자의 목표를 저해하는 행위를 수업자가 스스로 하고 있다면 이는 분명 잘못된 것입니다. 따라서 수업자의 목표를 분명히 아는 것이 중요한 겁니다. 수업자의 목표를 분명히 알지 못하면, 동일한 장면에 대한 해석이 상반될 수도 있습니다. 실제로 수업 후 협의회를 진행할 때, 참관선생님이 교사의 의도에 부합하지 못한 장면으로 꼽은 순간이 수업자에게는 의도된 장치였던 경우도 있었습니다. 학생들이 어려움을 겪는 장면이 한 선생님에겐 불편해 보였지만, 수업자는 그러한 어려움을 경험해야만 한다고 생각했던 것입니다. 수업의 모든 요소는 수업자의 의도가 포함된다는 관점에서 수업을 바라보고 그러기 위해 수업자에 대해 잘 이해할 수 있도록 대화를 이끌어야 합니다..

2. 참관록을 통한 수업에 대한 이해

참관록을 보며 오늘 수업에서 가지는 목표를 살펴봅니다. 참관록의 행 단위로 이야기를 나누면 좋습니다. 교사의 목표와 그 목표를 이루기 위해 어떤 노력을 진행하였고, 수업 중에 어떤 노력을 기울일 것인지 이야기합니다. 이때, 교사의 노력이 목표와 어떤 관련을 갖는지, 그 인과관계에 대한 설명을 부탁하면 참관 선생님의 입장에서 이해하는데 도움이 됩니다. 그리고 이러한 노력을 통해 구현하려는 학생들의 경험을 이야기 나눕니다. 목표 달성을 위해 왜 그러한 경험이 필요하다고 생각하게 되었는지를 함께 이야기 해 주어야 합니다. 이때, 참관 선생님들의 머리속에서 다른 아이디어들이 떠오를지도 모릅니다. 수업자도 충분히 고민했겠지만 모든 아이디어들을 고려할 순 없었기 때문에, 실제로 참관 선생님의 아이디어가 수업자에게도 흡족할 만한 아이디어일 수도 있습니다. 하지만 이를 나누기에는 적합한 시간이 아닙니다. 수업을 코앞에 두고 준비한 수업을 바꿔서 진행하기란 어려운 일이기 때문입니다. 또한 수업 전에 교사를 이해하는 이 자리는 준비한 수업에 대한 평가 자리가 결코 아닙니다. 수업의 과정에서는 사실 완벽한 수업이란 존재하지 않습니다. 교사와 수업의 성장과정이니 수업자의 목표 실현에 수업자가 선택한 방법이 수업에서 어떤 영향을 미치는지만 주목하면 충분합니다. 분명 방금 떠오른 훌륭한 아이디어를 수업자에게 전달할 적당한 시기가 수업 후 나눔에서 있을 것입니다. 이를 위해 간단히 메모만해 두시고, 수업자의 선택을 존중해 주시기 바랍니다.

3. 전체 수업 흐름에 대한 이해

수업 전체적인 흐름에 대해 안내하면 오늘 수업을 참관할 때, 학생들을 더욱 잘 볼 수 있습니다. 수업의 흐름을 이해하지 못하면 참관하는 입장에서는 학생을 관찰할 여유가 없어집니다. 수업을 받는 학생의 입장이 되기에도 참관하는 시간은 턱없이 부족합니다. 무슨 내용인지, 학생들이 무엇을 어떤 순서로 경험해야 하는지 알지 못한 상황에선 결코 수업자의 의도대로 학생들이 경험하고 있는지 알 수 없습니다. 따라서 오늘 수업에서 수업자가 학생들에게 기대하는 경험들이 어떤 순서로 배치되는지, 그렇게 배치한 이유가 무엇인지 함께 이야기해 줍니다. 만약 동교과가 아닌 선생님들이 섞여있다면 보다 자세히 설명해 줄 필요가 있습니다. 학생들에게 기대하는 행동을 보다 구체적으로 알려주는 것이 좋습니다. 이는 사실 수업자에게도 자신의 수업을 보다 명확히 정리하는 데 도움이 되는 일이니, 수업자는 수업을 실행하기 전 내가 학생들에게 구체적으로 무엇을 기대하고 있는지 생각해 보면 좋습니다.

수업은 한 차시만 떼어 놓고 볼 수 없는 경우가 많습니다. 이런 경우 이번 차시 수업을 포함한 전 후 수업에 대한 설명도 함께 진행해 주어야 합니다. 앞선 수업에 대한 이해는 학생들의 수업 속 행동에 대한 원인을 찾는데 도움이 될 수 있으며, 후속 수업에 대한 이해는 오늘 수업을 구성한 수업자의 의도를 더욱 분명히 확인하는 데 도움이 됩니다.

이와 같이 수업자에게 수업의 흐름에 관해 이야기를 나눈 후 명확하게 이해되지 않는 부분에 대해서는 추가적인 질문을 통해 명확하게 이해하고 참관을 진행하는 것이 좋습니다. 단, 수업을 코앞에 둔 이 순간, 질문이 교사가 설계한 수업이 변화되기를 바라는 의도가 포함된 질문은 삼가야 합니다.

본 과정은 수업자를 이해하고, 수업자의 시선으로 수업참관을 진행하기 위한 사전 작업입니다. 사실 가장 좋은 방법은 수업을 함께 준비하고, 준비한 선생님들이 함께 수업을 보는 것입니다. 이런 경우 학생에게 기대하는 경험이나 이 경험의 배치 순서에 대한 의구심을 갖지 않을 수 있기 때문입니다. 수업을 참관할 때도 수업자의 수업이 아닌, '우리의 수업'으로 바라볼 수 있습니다. 그리고 수업 후 나눔시, 수업자의 성찰이 아닌 '우리가 함께 성찰'할 수 있게 됩니다. 이 경우 직면하는 일은 훨씬 쉬워집니다. 그만큼 교사는 빠르게 성장할 것입니다.

수업을 함께 준비하며, 책임은 나누고, 성장은 촉진해 보면 좋겠습니다.

수업참관 운영 방법

일반적인 수업 공개는 교실 뒤에 선생님들을 위한 의자가 준비되어 있습니다. 하지만 특별한 경우를 제외하고는 의자를 배치하지 않는 것이 좋습니다. 학생들을 관찰하기 위해서는 교실 뒤에 있는 의자는 아무런 도움이 되지 않기 때문입니다. 대신 참관록을 서서 들고 다니면서 작성이 가능하도록 클립보드 같은 것을 구입하여 나눠주시면 좋습니다. 참관록은 수업 현장에서 바로 적어야 합니다. 참관자의 종합적인 느낌이나 판단을 적는 것이 아닌, 수업 현장의 장면을 객관적으로 작성해야 하기 때문입니다. 목격한 장면이 충분히 증거가 될만하다면 그 순간 바로 최대한 자세하게 상황을 글로 묘사해야 합니다. 사진이나 영상을 찍을 수 있으면 좋으나 사진의 경우 촬영음으로 인해 학생들이 의식하여 의도치 않게 수업을 방해할 수 있으니 주의해야 합니다.

참관 후 바로 수업 협의회를 진행하는 경우도 있고, 시간을 두고 추후에 진행할 수도 있습니다. 특히 후자의 경우는 영상을 촬영해 두어야 합니다. 우리의 기억은 쉽게 왜곡되고, 하나의 느낌이 전체 수업을 평가하게 만들기 때문에, 객관적 자료가 없다면 수업을 성찰하는 것을 어렵게 만듭니다. 촬영시에는 최대한 많은 카메라를 사용하면 좋습니다. 교사와 전체 교실을 함께 담는 카메라와 학생들의 활동을 담는 카메라가 필요합니다. 특히 학생들의 활동을 담는 카메라는 학생들의 목소리도 담겨야 하기에 모둠별로 있는 것이 좋습니다. 그러나 이러한 여건을 갖추긴 어려우니 1~2대의 카메라로 모둠 단위로 촬영하되 모둠을 옮겨가며 촬영할 수도 있습니다. 이렇게 촬영된 여러 파일들을 하나로 합치는 것이 이제는 꽤 쉬워졌습니다. 영상편집 프로그램에서 버튼 하나로 자동으로 싱크를 맞추는 기능들을 제공하곤 하니, 관심있는 선생님들은 한 번 검색해보시고, 시도해보시기 바랍니다.

수업 공개와 수업 후 협의회가 시차가 있는 경우, 협의회 준비시간을 확보할 수 있다는 장점이 있습니다. 진행자 입장에서 보다 자세히 수업을 분석하고 살펴 본 후에 어떤 장면을 소재로 삼아 이야기하는 것이 좋을지 미리 선정해 볼 수 있기 때문입니다. 또한 관련 장면들만 모아 영상을 짧게 편집하여 다시 한번 협의회에 참석한 선생님들과 함께 공유하면 수업 협의회의 깊이를 더할 수 있습니다. 그리고 이렇게 시차를 두는 경우는 협의회 시간을 넉넉히 확보하기 위함일 가능성이 큽니다. 이런 경우 충분히 수업자가 성찰할 수 있도록 돕기에 유리합니다.

하지만 일반적으로 이렇게 여러 차례 시간을 확보하는 것은 어렵습니다. 보통 6교시 정도에 수업을 공개하고 퇴근 시간 전에 협의회를 마쳐야 하는 경우가 많습니다. 짧게는 45분, 길게는 1시간 30분 정도의 시간이 허락됩니다. 이런 경우 영상을 다시 살펴보기에는 시간적으로 어려움이 있습니다. 따라서 참관록에 최대한 기록하고 기록에 의존해서 수업을 나누어야 합니다.

또한 관찰로 모든 것을 이해하긴 어렵습니다. 특히 학생들의 행동은 이해되지 않는 부분이 더욱 많습니다. 수업이 종료되고 학생에게 궁금한 부분은 한두 가지 물어보는 것도 수업을 보다 잘 이해할 수 있게 도울 수 있습니다. 그리고 학습지를 사용하였다면 수업자는 학생 학습지를 걷어 복사하여 협의회에 자료로 활용한다면 학생들의 경험을 분석하는데 큰 도움이 됩니다.

수업나눔 운영 방법

수업을 함께 준비하고 지속적으로 수업의 과정을 경험하고 있다면 Part3의 내용을 참조하여 각자의 현실에 맞추어 수업 나눔을 진행하면 됩니다. 그렇지 못한 상황이거나 진행에 대한 부담이 있는 경우 다음을 참조하셔서 진행해 보시길 바랍니다.

수업 후 바로 협의회를 갖는 경우

협의회를 진행할 수 있는 시간은 현장에 따라 다를 것입니다. 넉넉하게 확보하여 여유롭게 진행하는 것이 좋겠으나, 그렇지 못한 경우가 발생할 수밖에 없습니다. 이런 경우 대화의 폭을 줄이되 깊이를 깊게 가져가는 방법을 택하시길 권합니다. 예를 들어, 다뤄야 할 교사의 목표가 3가지가 있다면, 3가지를 모두 짧게 진행하기 보다 하나만 선택하여 이를 깊이 있게 대화를 나누는 것을 추천합니다. 깊어지지 않는 대화는 교사에게 새로운 생각이 떠오르게 만들기 어렵습니다. 의미를 깊이있게 파헤치고, 수업자가 그동안 생각하지 못했던 생각들을 할 수 있도록 해야 합니다. 순간적으로 쉽게 떠올릴 수 있는 이야기들만 협의회에서 진행되는 것은 바람직하지 못합니다. 수업을 나누는 과정에서 수업자는 새로운 시각에서 생각해보고, 자신을 돌아볼 수 있어야 합니다.

따라서 진행자는 수업을 참관하면서 참관록에 적힌 수업자의 목표들을 보고 나눔의 우선순위를 정해두는 것이 좋습니다. 그리고 그 순서대로 시간이 허락하는 한 다음의 사이클을 반복합니다.

1. 수업자의 목표 재확인
2. 목표에 부합한 장면의 공유
3. 수업자가 생각하는 목표에 부합하지 못한 장면 공유
4. 부합하지 못한 장면을 통해 목표 저해 원인 찾기
5. 목표를 이루기 위한 방법의 탐색

하나의 목표에 대해 1-5가 모두 진행되면 다음 목표로 이동하여 동일한 과정을 반복합니다. 때론 다른 목표가 이미 포함되어 해결된

경우도 있을 수 있으니 진행자가 적절하게 판단하여 운영하면 됩니다. 각 단계를 좀 더 자세히 살펴보겠습니다.

1. 수업자의 목표 재확인

진행자가 선정한 수업 목표를 다시 한번 상기시키며 수업자에게 해당 목표가 오늘 수업에서 어떤 부분에 반영되었는지, 그 목표를 이루기 위해 수업자가 신경쓴 부분은 어떤 부분이었는지 이야기 할 수 있도록 질문합니다. 교사의 노력을 격려하며 진행자가 발견한 노력의 결실을 덧붙이며 대화를 나눈다면 수업자는 더욱 편안하게 이야기 할 수 있습니다.

2. 목표에 부합한 장면의 공유

수업자의 설명을 듣고 참관 선생님들이 발견한 목표에 부합한 장면들을 공유합니다. 자신이 적은 부분을 모두 이야기하기 보다, 앞선 수업자의 발언과 통하는 부분에 대해 이야기 나눕니다. 추가적으로 그러한 목표가 달성된 원인은 무엇이었을지에 대한 추측을 함께 제시하여, 학생들의 목표 달성에 도움을 주는 요인들에 대해 고민하고, 더욱 발전시킬 수 있게 도와줍니다.

참관선생님들을 모둠으로 편성한 경우 모둠내에서 이야기 나누는 시간을 부여합니다. 이때, 진행자는 수업자와 일대일로 이야기할 수 있는 시간을 자연스럽게 확보할 수 있게 됩니다. 이점을 잘 이용하면 보다 원활하게 모둠과 의견을 교류할 수 있습니다. 단순히 각 모둠에게 나눈 내용을 차례대로 공유해 달라고 요청할 수도 있습니다. 하지만 이런 경우 모둠별로 공유할 때마다 대화의 흐름이 분절되고, 이야기가 중복되어 효율적이지 못 할 수 있습니다. 따라서 일대일로 대화 나눈 내용을 정리하여 진행자가 미리 선택한 내용과 관련있는 상황만 공유하게 하는 것이 수업자가 깊이 있게 하나의 내용에 대해서 성찰할 수 있도록 도울 수 있습니다. 그리고 진행자와 수업자가 나누지 못한 내용이 있는 경우에 추가적으로 모둠의 의견을 더할 수 있습니다.

3. 수업자가 생각하는 목표에 부합하지 못한 장면 공유

수업자의 의도에 부합하는 장면들에 대한 공유와 그 원인에 대한 분석이 마무리 되면, 수업자에게 아쉬운 부분에 대해 질문합니다. 특히, 지금 다루고 있는 목표와 관련하여 아쉽거나, 목표에 부합되지 못했던 장면들이 있었는지 물어봅니다. 목표에 부합하지 않는 장면에 대한 이야기는 수업자가 스스로 꺼내게 하는 것이 좋습니다. 참관 선생님들의 참관록에 빼곡하게 적혀있더라도, 이를 꺼내는 일은 항상 조심해야 합니다. 본인도 목표에 부합하지 못한 장면이라 생각하고 있을 지라도, 타인에게 해당 장면을 선생님의 목표에 부합하지 않는 장면이라는 이야기를 듣는 것은 상처가 되곤 합니다. 따라서 수업자가 선정한 장면과 관련된 상황만을 대화의 소재로 국한하는 것이 좋습니다.

4. 부합하지 못한 장면을 통해 목표 저해 원인 찾기

목표에 부합하지 못한 장면들을 통해 문제의 원인을 정확하게 파악하는 것이 필요합니다. 하지만 주의가 필요합니다. 우리는 이러한 상황의 원인을 쉽게 찾습니다. 문제를 마주하면 그 즉시 원인이 한두 가지 떠오르는 경우가 많습니다. 하지만 이런한 원인은 그저 개인적 판단에 의한 것으로, 수업을 개선하는데 도움이 되지 못합니다. 오히려 이러한 발언은 수업자의 잘못을 지적하는 것 처럼 느껴질 가능성이 큽니다. 우리는 문제의 원인을 찾을 때, 객관적 증거를 바탕으로 찾아야 합니다. 여기서 객관적 증거는 수업에서 관찰된 상황입니다. 실제 수업 속에서 어떤 교사의 언행, 학습자료, 학생들간의 상호작용 등이 목표를 저해할 가능성이 있는지 찾아야 합니다. 다시 한번 강조하지만 가능성입니다. 가능성을 사실인 양 이야기 하면 수업에 대한 평가가 되어 버립니다. 그러면 수업자는 여러 증거가 있음에도 가설을 수용하기 보다 비판으로 여기며 상처받을 수 있습니다.

앞서 수업자가 생각하는 목표에 부합하지 못한 장면에 대한 이야기를 들었습니다. 참관 선생님들이 모둠내에서 추가적으로 더 다양한 상황에 대해 이야기 나누었겠지만, 수업자가 공유한 장면으로만 한정하여 그 원인을 찾는 시도를 모둠내에서 진행해야 합니다. 이때도 역시 수업자는 진행자와 일대일로 대화를 진행합니다. 진행자는 대화를 나누며 추가적인 증거가 있으면 좋을 만한 가설들을 정리합니다. 그리고 모둠에게 가설을 세운 이유에 대한 설명과 함께 추가적으로 관련 증거를 발견한 것이 있는지 물으며 관련된 내용만을 공유할 수 있도록 유도합니다. 이때, 너무 많은 증거가 쏟아지는 경우 수업자가 불편해지는 상황이 발생할 수도 있으니 진행자는 수업자를 세심하게 살피며 진행해 나가야 합니다.

5. 목표를 이루기 위한 방법의 탐색

문제와 문제의 원인에 대한 탐색이 끝났다면, 해당 원인을 해결하면서 교사의 원래 목표를 실현시킬 수 있는 방법에 대해 모색해보아야 합니다. 이러한 방법 역시 지금까지의 대화의 흐름속에 존재하는 것이 좋습니다. 평소 자신이 해당 단원 수업에서 좋다고 생각하는 방법을 이야기 하기보다, 앞선 대화에서 찾은 문제의 원인을 해결하는데 도움이 되는 방법들을 찾아야 한다는 의미입니다. 그리고 무엇보다 중요한 것은 제안하는 방법이 교사의 목표를 실현하는 방향과 일치하는 것입니다.

아이디어는 바로 떠오르지 않을 수도 있습니다. 방법을 협의회 도중 찾지 못해도 괜찮습니다. 수업자에게 과제를 보다 명확하게 제시하는 것으로 협의회의 한 사이클을 종료하고, 과제를 해결하는 것은 수업자의 몫으로 두거나, 모든 사이클이 종료된 후 시간적 여유가 있으면 다시 한번 생각해 볼 시간을 부여할 수도 있습니다.

모든 과정이 끝나면 수업자에게 자신의 과제에 대해 이야기하는 시간을 가집니다. 자신이 앞으로 고민하거나, 새롭게 시도해 볼 내용에 대해 다른 사람들에게 이야기 하며, 지지와 응원을 받으며 실제로 그러한 변화가 일어날 가능성을 높입니다.

영상을 통해 수업 나눔을 진행하는 경우

형편상 수업을 참관하지 못 하는 경우 촬영된 영상을 보는 것으로 대체할 수 있습니다. 영상으로 45분의 수업을 통째로 보는 것은 실제 수업을 보는 것보다 훨씬 어렵습니다. 교실 환경에서 원하는 목소리만 따로 녹음하는 것도 어렵고, 사각지대가 많고, 학생들의 실제 활동 장면들은 담아내기도 어렵기 때문입니다.

따라서 우선 영상 촬영이 잘 되어야 합니다. 그러려면 사실 장비들이 많이 필요할 수 있습니다. 그러기에는 다소 부담스러울 수 있습니다. 쉽게 해결할 수 있는 방법은 스마트폰을 이용하는 것입니다. 학교에 있는 캠코더를 기본적으로 전체 화면 녹화에 사용하고, 촬영해 줄 선생님이 있다면 한대의 캠코더를 더 이용하여 모둠별 활동을 촬영해 주면 좋습니다. 그리고 교사의 목소리는 따로 녹음하는 것도 좋은 방법입니다. 1~2만원 정도면 스마트폰에 연결가능한 핀마이크를 구입할 수 있습니다. 이를 이용하여 수업자는 핀마이크를 이용하여 녹음하면 훨씬 좋은 녹음 파일을 얻을 수 있습니다. 학생들의 목소리도 보다 잘 녹음하기 위해서는 모둠내에 스마트폰으로 녹음을 하는 것도 좋은 방법입니다. 이렇게 모아진 여러개의 영상은 멀티캠 기능을 지원하는 영상편집프로그램을 이용하면 대체로 쉽게 싱크를 맞추고 원하는 장면들만 보이도록 영상을 편집할 수 있습니다. '멀티캠 기능 지원 무료 영상편집 프로그램'으로 검색해보셔서 원하는 프로그램을 한 번 사용해보시기 바랍니다. 혹은 사용하는 유료 편집프로그램이 있다면 지원할 가능성이 높으니 방법은 검색해 보길 바랍니다.

이제 영상을 보면서 함께 공유할 만한 장면만 편집합니다. 20분 내외의 영상으로 편집하는 것이 좋습니다. 길이가 길면 많은 정보를 담을 순 있으나 집중력이 떨어지고, 다시 보거나 확인하기에도 부담스럽습니다. 이렇게 준비된 영상을 가지고 모임을 시작합니다.

앞서 적은 '수업 전 안내 운영 방법' 부터 '수업 후 협의회 운영 방법'까지의 과정을 그대로 진행한다고 보면 됩니다. 다만 실제 교실에서 참관하는 것이 아닌 영상으로 대체하는 것만 차이가 있습니다. 그로 인해 참관 선생님들은 학생들의 증거를 찾기가 더욱 어렵습니다. 그리고 화면 속에 등장하는 학생들만 관찰 가능 하기 때문에 같은 주제에 대해 다양한 증거를 찾는 것도 불가능하다는 단점이 있습니다.

반면에 진행자가 충분히 수업에 대해 살펴보고, 수업 나눔을 준비할 수 있다는 점, 수업자도 자신의 수업을 되돌아보고 일차적으로 스스로 성찰해보고 올 수 있다는 점이 유리합니다. 따라서 진행자와 수업자가 사전 준비의 정도에 따라 모임이 훨씬 매끄럽게 진행될 가능성도 있습니다.

개인적으로는 수업을 직접 참관하는 방법을 추천하지만, 현실적으로 어렵거나, 수업의 과정에 대한 연습을 위한 목적이라면 영상을 이용하는 것도 좋은 대안이 될 것입니다.

에필로그
수업의 과정:성장하는 나

　수업에서 과정이 중요하다는 주장에 대해서는 크게 이견이 없습니다. 하지만 우리는 아직 과정을 중요하게 여기는 방법을 잘 알지 못하는듯합니다. 수업을 마치고 '오늘 수업은 망했다.'고 생각해 본적 있을 겁니다. 반대로 '오늘 수업은 너무 만족스러워.'라고 생각한 경험도 분명 있을 겁니다. 그 때, 그 판단의 기준은 무엇이었나요? 학생들이 재미있어 하거나, 과제를 잘 수행하는 등 눈으로 확인 가능한 긍정적인 결과들을 보았기 때문일 것입니다. 결과가 좋아야 우리는 과정도 좋게 느끼고 있습니다. 이는 과정을 보는 것을 아직 잘 알지 못하기 때문이라고 생각합니다.

　저는 선생님들이 수업의 과정의 책을 읽고 실천하면서 과정을 볼 수 있게 되길 기대합니다. 학생의 경험을 중심에 두고 수업을 설계하고, 수업을 성찰하는 경험을 통해, 나의 의도대로 학생이 경험한 수업은 결과와 상관없이 잘 운영된 수업으로 판단할 수 있게 될 것입니다. 때론 내가 의도한 경험을 학생들은 경험하지 못 할 수도 있습니다. 하지만 두 경우 모두 우리에겐 소중합니다. 전자의 경우 만약 결과가 좋지 못했다면 어떤 경험이 내가 의도한 목표를 달성할 수 있게 만들지 다시 과제를 수정할 수 있는 기회를 제공받는 것이고, 후자의 경우 수업에서 나의 의도대로 학생들을 경험시킬 수 있는 방법에 대해 고민할 기회를 제공받는 것이기 때문입니다.

즉, 우리는 과정에 의미를 부여하면서 지속적으로 성장해 나갈 수 있습니다. 어제보다 더 나은, 그러나 내일보다 부족한 선생님이 되기를 희망하며, 선생님의 성장 과정에 이 책이 조금이나마 보탬이 되었기를 소망해 봅니다.